C000160488

# BRITAIN IN OLD PHOTOGRAPHS

# LIVERPOOL

## CATHERINE ROTHWELL

*Budding*
BOOKS

A Budding Book

This book was first published in 1996 by
Sutton Publishing Limited
Phoenix Mill · Thrupp · Stroud
Gloucestershire · GL5 2BU

This edition first published in 2001 by
Budding Books, an imprint of
Sutton Publishing Limited

**British Library Cataloguing in Publication Data**
A catalogue record for this book is available from the
British Library.

ISBN 1 84015 171 4

Typeset in 10/12 Perpetua.
Typesetting and origination by
Sutton Publishing Limited.
Printed in Great Britain by
J.H. Haynes & Co. Ltd, Sparkford.

# CONTENTS

# WRECK SALE

## SALE by PUBLIC AUCTION

## ON THE QUAYSIDE

### OF THIS PORT

at ten o'clock in the forenoon

## ON THE 24ᵀᴴ day of APRIL, 1796

part of the cargoes of ships
that have recently come to grief in these parts

*Consisting of :-*

| | |
|---|---|
| *56 Bales of Wool* | *23 Barrels of Potash* |
| *124 Deer Skins* | *154 Pieces of Firtimber* |
| *37 Cases of Flour* | *1 Open Boat* |
| *9 Casks of White Lead* | *16 Hatchets* |
| *287 Oak Handspikes* | *20 Casks of Cudbear* |
| *21 Barrels of Tar* | *112 Cases of English China* |
| *341 Pieces of Cloth* | *45 Pipes of Linseed Oil* |
| *67 Articles of Pewter* | *209 Spills of Cotton Yarn* |

*Together with ~ SAILS, MASTS, YARDS, ANCHORS and
other Materials ~*

Wreck Sale notice, 24 April 1796.

# INTRODUCTION

In the 1600s Liverpool was a little creek under the port of Chester. Over the years its rise was phenomenal. Even in decline, it has to be acknowledged a great city, but in its palmy days it was a superstar, a city of firsts. From the early years of the 19th century it produced the first steam passenger railway, the first overhead electric railway, the first District Nurse, the first Medical Officer of Health, the first provincial children's hospital, the first public wash houses, the first tuberculosis campaign, the first School of Tropical Medicine . . . and the list of 'firsts' goes on. One group of enthusiastic businessmen known as the 'Liverpool Party' was responsible for the creation and prosperity of Crewe.

On 6 September 1836 by order of the Committee of Liverpool Docks, Secretary Daniel Mason issued a detailed revised list of rates and duties payable on the tonnage of vessels in support of lighthouses and floating light. To handle the original of such a historic document crammed with evocative names, a study indeed of economics and geography, is also to experience wave after wave of nostalgia.

Shipping lines and shipbuilders have passed like ghosts, but memories surge back: a liner coming into Liverpool on the Mersey's racing tide out of a sunset of gold and crimson; the intensely white wings of wheeling gulls flashing over burnished waters; the cries, the smells, the bustle and tang of a great port. Staring from the landing stage or tensely clustering along the taffrails, weary travellers after a long voyage or those coming to meet them were being stamped with undying memories. Liverpool! Gateway to the Old Country, the second port of the British Empire; that is what it meant in the 1920s. The eyes of returning exiles sweeping the waterfront could see their city's changing outline in the rise of stone and steel buildings. Beneath the surging waters of the River Mersey a great artery of transport was in process of tunnelling. This city with its grand cathedral on a rock and its great hotel, the Adelphi, crowning a hill, drew the attention of the world. No port in Europe could boast of a hotel more spacious or better equipped. Charles Dickens himself, before sailing for America, ate and slept there, describing his dinner as 'undeniably perfect'.

Sir Giles Gilbert Scott was a youth of twenty-one when he designed Liverpool's Anglican cathedral. For over twenty years he was engaged upon it, until 19 July 1924 when it was consecrated by the Archbishop of Canterbury in the presence of King George V. Sir John Betjeman described it as sublime, 'expressing the art of enclosing space'.

A decision had been made to build yet another cathedral in Liverpool which it was estimated would cost £3 million, a sermon in stone for the Roman Catholic Church. The sightseer had a city to explore rich in architecture, St George's Hall being reckoned the finest example of the classical Greek tradition in Europe, each of its Corinthian columns 60 ft high, with sixteen in the portico alone.

From the top of the Liver Building could be seen one of the most wonderful sights in the world. From 300 ft up, what looked like toy ships were giant liners, weatherbeaten tramp steamers and floating palaces of the seven seas. The largest tobacco warehouse in the world, the gigantic £500,000 Gladstone Docks, also the largest in the world, and many famous shipyards that made history, were visible from this high perch.

Liverpool was also the world's largest spot market for cotton. Out of those twenty-eight bags of cotton which arrived in 1757 when only 200 ships were registered grew 700 warehouses capable of holding 2 million bales. Here were the headquarters of the Liverpool Cotton Association and – more food for thought – there were five principal theatres including the oldest repertory theatre in the country, eight music halls, nine cinemas and the fine Philharmonic Concert Hall.

To come closer to the date of the document: 'There is a fierce strength here in all the streets', wrote Emerson in 1847 when he arrived from America. Since the days when men caught fish and tended swine on the banks of the Mersey, Liverpool was the breeding ground of hard men, privateers, seamen of daring, the home and port of the slave captains who sailed 'with black men in the hold and a bible in the cabin'. Tough roots are illustrated in the outcome of an epic storm in November 1561 which destroyed the harbour. All able-bodied men, both rich and poor, were marched down to the river by the mayor and straight away told to rebuild. Catherine Hutton, a late 18th-century visitor, conversed with 'the Liverpoolians, free and open as the ocean on which they get their riches'.

Ships sailed to 'all parts within the Cattegat and Baltic, the whole of Sweden, White Sea, all parts of Europe, Southward of Cape Finisterre, Mediterranean, Newfoundland, Greenland, Davis's Strait, Canaries, Madeira, Azores, East Coast of North America, West Indies, East Coast of South America, Northward to Rio La Plata, West Coast of Africa, Cape of Good Hope, the Adriatic, Black Sea, Archipelago, St. Helena, Ascension Island, Cape de Vera Islands, Pacific Ocean, Africa, Asia . . .'. Where did Liverpool ships not go? All these destinations and many more are listed in the 1836 Liverpool Docks broadsheet.

Liverpool thought in terms of the sea, the Mersey its high street, embracing flourishing shipping lines: T. and J. Brocklebank with their iron and steel ships, *Alexandra, Baroda, Candabar, Chinsura, Belfast, Majestic, Khyber, Bolan, Bactria, Sindia* and *Holkar*, built between 1863 and 1885, the last five by Harland and Wolff. *Zemindar* was renamed *Star of Holland* and *Talookdar* lost off the Cape of Good Hope. Their names, which are legion, read like a poem and set the salt tang of romance coursing through the veins. David Bruce's Dundee Clipper Line; the fleet of the British Shipowners' Company; the Irish *Stars* of J. Corry and Company: *Star of Erin, Star of Denmark, of Scotia, Albion, Persia, Greece, Germany, Bengal.* The 1984 display of tall ships was but a shadow of Liverpool's former self.

As for the shipbuilders' names: Dobie; Brown; Murray; Birrell; Napier; Shanks; Bell; Russell; Reid; Steele; Cornell; Elder; Laird; Barclay – they bring back the days when the sand-dunes of the Mersey were the last bit of the Old World seen by apprehensive but hopeful emigrants.

When the holds of Liverpool ships were stacked with merchandise as varied as cotton goods, guns, coal, knives, machinery, gin, the city was described as 'the 20th century stripped for action, a complicated model of our civilisation'. Time has marched on and circumstances forced the city to face the challenge of change. The Overhead Railway is not alone in its dismantlement. Thus, the only way 'to call back yesterday, bid time return', is through the memories evoked by old photographs. *Liverpool in Old Photographs* has 200 reminders of one of the greatest ports and cities in the world.

# SHIPPING & THE WATERFRONT

*Royal Liver, Cunard and Dock Board Buildings, 1948.*

Liverpool is seen from the River Mersey in 1836 showing the shipbuilding yards before steamships became the rivals to sailing ships. By 1850 a greater tonnage of shipping was registered at Liverpool than at any other British port.

The sailing packet *Duchess of Atholl*, 1803. By then six regular traders of 400 tons burden regularly carried passengers and mail between Liverpool and the Isle of Man, five of which were: Captain Morgan's sloop *Duke of Atholl*, Captain Thompson's sloop *Duchess of Atholl*, Captain Quayle's sloop *The Douglas*, Captain Jones's schooner *William Leece*, Captain Towle's packet *The Friends*.

The emigrant ship *Ocean Monarch* became engulfed by fire soon after leaving Liverpool in 1848. Terrified passengers jumped overboard and days later bodies were washed ashore on the Fylde coast, an entire Irish family being buried in Lytham churchyard. That year 3,560 ships entered Liverpool and 131,000 emigrants sailed off to different parts of the world, but this could be a perilous undertaking. Bound for Africa, the *Providence* foundered in a severe gale in the Mersey Channel with the loss of twenty lives on 7 October 1850.

In September 1858 the 2,383-ton Laird and Company ship *Austria*, another emigrant ship, carrying 538 passengers and crew, met a fate similar to that of *Ocean Monarch*. The ship's surgeon was fumigating steerage quarters when a flaming bucket of tar was dropped, and 471 people were burned to death or drowned as a result.

Allan Line and Dominion Line were still transporting emigrants from Liverpool to the USA and Canada at special low rates in 1883: saloon 10 guineas; steerage 4 guineas. Both regularly advertised: 'Assisted rates for agricultural labourers and their families; children under 12 years £2; infants under one 10/-.' Flynn and Main of James Street, Liverpool, provided a map of Manitoba and the Canadian Pacific Railway.

It is interesting to note that the ill-fated 45,000-ton *Titanic*, 'the millionaires' hotel', was officially designated an emigrant ship. The port doctor had to inspect emigrants as they boarded at Queenstown.

MERSEY DOCKS

A Liverpool schoolboy's collage made in the 1940s showed among a plethora of things Liverpudlian: the docks, referred to as 'granite-lipped lagoons'; the Liver Building; brands of imported wines; Ormskirk Parish Church. There was a photograph of Teresa Mawdsley who held the secret of the famous gingerbread sold in Liverpool and on Ormskirk Market. The 'Liver' birds stemming from mythology were thought to have visited 'the Pool' holding laver, a kind of seaweed, in their beaks. The docks included Canning, Salthouse, George's, King's, Queen's, Prince's, Union and Canada. Engineer James Hartley added Brunswick, Victoria, Clarence, Trafalgar and, greatest of all, Albert Dock.

The wreck of the *Lottie Sleigh* on the beach at New Ferry, Birkenhead, January 1864. Described as 'a terrible scene on the Mersey', this ship blew up with 11½ tons of gunpowder on board. Belonging to Messrs Hatton and Cookson, the vessel, bound for Africa, was taking on powder from the magazine boats at Tranmere. Fire broke out and *Wasp* took the crew off just in time.

A 19th-century wrecked fishing boat off Merseyside. The River Mersey was charted in 1840 by Captain Henry Mangles Denham under Admiralty sanction. In his sailing directions he pointed out shoals and treacherous sandbanks. Because of its bottle-neck shape the River Mersey was plagued with silting.

J.C. Dibdin, Secretary of the Royal National
Lifeboat Institution, who with John Ayling
published *The Book of the Lifeboat* in August
1894, is pictured. Lifeboat Sundays and
Saturdays had recently been inaugurated,
helped by Liverpool and Manchester
businessmen in order to support the Lifeboat
Institution which depended on voluntary
contributions. Dibdin travelled the coasts and
collected thrilling accounts and examples of
lifeboat work. 'The incidents related are nearly
all first-hand from eye-witnesses or actual
performers in the stirring scenes depicted,' he
reported in his preface.

The new American iron steamship *Champion* of the Vanderbilt Line, 1850s. Details were printed in
*Harper's Weekly*. It is interesting to see that sails have not yet been entirely dispensed with.

Life-saving apparatus, 1894. *The Book of the Lifeboat* shows that the gallant lifeboatmen in their black sou'westers relied mainly on cork jackets for buoyancy. Horses, vital in helping to launch the lifeboat, were ridden into the sea, so training was given to get the beasts used to rough conditions. In some cases steam tugs were used to tow out the lifeboat. The self-righting craft had not yet been adopted. Lifeboats often failed to reach a wreck, although they were able to get within 300–400 ft. In a gale off the north-west in the 1890s the Atlantic liner SS *Hecla* with 600 people on board was saved by the *Aranmore* of Clyde Shipping Company, which after several hours effected line communication with her. Had this not been achieved, *Hecla* would have drifted into broken water among rocks.

The most noteworthy advance in apparatus of 1894 was that shown lower right: a shoulder line-throwing gun with automatic lifebuoy. Commander J. D'Arcy Irvine's line-throwing gun, approved in writing by Admirals Sir Henry Chads and T.B. Lethbridge, was recommended for effecting instantaneous line communication at sea. All shipowners were urged to adopt this. The complete Powder Shoulder Gun cost £9; brass reel with line 12*s* 6*d*; line carrier 12*s* 6*d*; automatic lifebuoy to fire from gun £3 each.

PS *President* was the largest of the pioneer Atlantic paddle-steamers to sail from the port. She measured 275 ft, her beam was 37.5 ft and her gross tonnage 1,863. Her loss in a storm during her first year was probably due to instability. The picture dates from 1840.

Liverpool artist W.G. Herdman painted this watercolour of the fifth Custom House in 1861. This was built on the site of the Old Dock in 1809. So great was the increase in commerce that larger premises were necessary. 'Liverpool is one of the wonders of Britain because of its prodigious increase of trade and buildings,' wrote Daniel Defoe during his tour of England. An Act of Parliament in 1710 granted powers to construct the first dock, which was 195 yards long and 90 yards at its broadest point. Shipping from the Mediterranean and West Indies as well as Irish traders docked here. In 1721 an unusually high tide floated the *Tabitha* and the *Priscilla* over the pier into the middle of this, the Old Dock.

A Liverpool tug assisting a coastal sailing ship to port, 1892. At about this time serious fires at Huskisson Dock destroyed three sheds storing cotton and general produce, causing damage estimated at £20,000. By 13 June of that year five cotton warehouses had been burned out.

*Mona's Isle III*, 1882. On 16 August 1830 the first *Mona's Isle*, under the command of Captain Gill, on her first passage took 1½ minutes longer than *Sophia Jane* under Lieutenant Tudor of the St George Company. Subsequently she proved to be the quicker, defeating *Sophia Jane* in a gale by almost four hours.

*Sarmatian* and *Waldensian* (right), 1880. *Sarmatian*, 3,920 tons, was built at Greenock in 1871. *Waldensian*, 2,306 tons, formerly known as *St Andrew*, was built at Port Glasgow in 1861. Both ships were of the Allan Line of mail steamers under contract to the government of Canada.

*Oregon* at Liverpool, 1888. Weighing 3,712 tons, she was built in 1883 for the Inman Line whose offices were at Tower Buildings, Water Street. Sister ships were *Antwerp, Baltimore, Brooklyn, Brussels*, and so on, all named after cities. Each of these steamers had an experienced surgeon on board.

*Pennland* sailing up the Mersey, late 1890s. In 1893 a great fire at Canada Dock destroyed four timber yards, causing damage estimated at £100,000. This was the most destructive fire since the landing stage was burned down in 1874.

SS *Zeeland* and SS *Lake Java* moored, with the newly opened Dock Board offices behind, 1907. Of the great trio of buildings, this, with its appealing Renaissance style, was accepted architecturally as the best. *Pennland* was *Zeeland*'s sister ship.

*Circassian*, 1873. Weighing 3,724 tons, she was built at Greenwich for the Allan Line and worked out of Liverpool at the same time as *Abyssinian*, *Canadian*, *Prussian*, *Austrian*, *Sarmatian* and *Waldensian*. In the days of sailing ships superstition was so strong it was thought that the figurehead could affect the fortunes of the ship. The beautifully carved effigy of a woman with bared breasts, as on *Circassian*, was believed to calm stormy seas. Even great woodcarvers like Grinling Gibbons, who made figureheads for the men o' war of the 17th century, took this superstition seriously. On some ships the carving could be quickly removed if danger threatened, which indicates how highly they were valued.

Scores of ships could be held up by impossible headwinds during a spell of dirty weather, forests of masts in dock and pool etching a tracery like spiders' webs against the sky, but when the wind stood fair, what a sight it was to see hundreds of outward-bounders making for the open sea!

# WHITE STAR

## EX-ROYAL MAIL LINE OF
# AUSTRALIAN PACKETS.

These Magnificent Clippers, which have been so long and successfully employed in the conveyance of Her Majesty's Mails between Liverpool and the Australian Colonies, are despatched from

# LIVERPOOL TO MELBOURNE,

### On the 20th and 27th of every Month,

FORWARDING PASSENGERS, BY STEAM, AT THROUGH RATES, TO

# GEELONG, SYDNEY, HOBART TOWN, LAUNCESTON,
### AND ALL PARTS OF AUSTRALIA.

### STEAM IS TAKEN TO CLEAR THE CHANNEL, IF NECESSARY.

| | | | |
|---|---|---|---|
| RED JACKET, O'Halloran . . | 4,500 | SHALIMAR, I. R. Brown . . . | 3,500 |
| WHITE STAR, — Kerr . . . | 5,000 | ARABIAN, W. Balmano . . : . | 2,500 |
| GOLDEN ERA, H. A. Brown . | 3,500 | ANNIE WILSON, — Duckett . | 3,500 |
| MERMAID, Devey . . . . . . . | 3,200 | TITAN, — Sears . . . . . . . | 5,000 |

The Ships of this Line are known to the World as the LARGEST and FASTEST afloat, and are fitted up regardless of expense, to suit the various means of every class of Emigrants. From the Saloon to the Steerage every article of dietary is put on board under the careful inspection of Her Majesty's Officers of Emigration, who likewise superintend the proper disposal of the necessary light and ventilation. The Saloons are elegant and roomy. The Second Cabins are fitted up with unusual care, and Passengers in this class have Stewards appointed to wait on them. The Intermediate and Steerage berths are exceedingly lofty, and the sexes are thoroughly separated. A properly qualified Surgeon is attached to each Ship.

## RATES OF PASSAGE.

| | |
|---|---|
| Saloon . . . . . . . . . . . . | £45 to £60 |
| Second Cabin . . . . . . . . | £25 to £30 |
| Intermediate, according to Rooms . . | £17 to £20 |
| Steerage . . . . . . . . . | £14 |

As Conveyances for Fine Goods, these Ships have long had a preference, having uniformly discharged their cargoes in first-rate order, and goods sent out by them can be Insured at the Lowest Rates of the day. For particulars of Freight or Passage, apply to the Owners,

## H. T. WILSON & CHAMBERS,
### 21, WATER STREET, LIVERPOOL.

Agents in Melbourne . . . . . . . . . H. T WILSON & Co., 41, King Street.

White Star Line poster, 1890. H.T. Wilson and Chambers of 21 Water Street pointed out that 'these magnificent clippers which have been so long and successfully employed in the conveyance of Her Majesty's Mails between Liverpool and the Australian colonies are despatched from Liverpool to Melbourne on the 20th and 27th of every month'.

The ships of this line, fitted out regardless of expense, were known to the world as the largest and fastest afloat. HM Officers of Emigration inspected all food taken aboard and ensured sufficient light and ventilation in saloon, intermediate and steerage accommodation. White Star Line also had sailings to North America, to where 9 million people were said to have emigrated.

A scene in Canning Dock, with the Mersey Docks and Harbour Board offices and a waggon labelled 'Babcock and Wilcox Ltd. via Dante, Milan', 1925. What in the 1600s had been described as 'a little creek under the port of Chester' had expanded into the second city in the land. At the beginning of the 18th century there were 84 vessels and 934 seamen. By 1823 there were 8,916 ships registered and dock dues totalled £115,783. Liverpool was the first British port to have a floating crane of 200 tons lifting capacity. Built in Holland for Tsarist Russia, it was never delivered because of the Revolution. Mersey Docks and Harbour Board bought it in 1920.

Liverpool warehouses near New Quay, 1950. Designed in the early 19th century, they featured recessed bays for hoists to serve the different levels without interfering with traffic below. Liverpool shipowners led the British merchant fleets: Cunard, White Star, Canadian Pacific, Blue Funnel, Blue Star, Ellerman, Anchor, Johnston, Hall, Pacific Steam Navigation, Lamport and Holt, Clan, Bibby, Furness, Brocklebank, Harrison and Yeoward lines. All had large fleets. They were the shipping companies of the 1950s, with up-to-date vessels plying to all the world's ports. There was also a considerable amount of coastal traffic.

RMS *Lucania* at the landing stage, 1900s. Sister ships *Scythia, Lucania* and *Campania* were photographed by Cinema Ltd, together with well-known sailors connected with Liverpool, including Surgeon Rear-Admiral Shard of the *Aurania*. Cunard's *Lucania*, once the largest ship in the world, with 400 crew, could accommodate 500 first class, 280 second class and 1,000 steerage class passengers.

Lund's Blue Anchor Line Steam Ship *Narrung*, 1906. Rivals Ismay, Imrie and Company, collaborating with Lancashire and Yorkshire Railway, sent White Star Line Royal Mail steamers to New York every Wednesday. Saloon fare was 10 guineas to £30; steerage on *Britannica, Germanic* or *Adriatic*, £2.

*British Queen* of the Cunard Line, 735 tons and 125 h.p., built at Dumbarton in 1849. Samuel Cunard, born 1787, established the Cunard Line to operate a regular mail and passenger service across the Atlantic. Already in a successful shipping business in Nova Scotia, he saw great possibilities and offered to perform the service for £55,000 a year, undercutting his rivals. He ordered three wooden paddle-steamers from Robert Napier of Glasgow.

The Cunard Line was at first known as the British and North American Royal Mail Steam Packet Company. On 4 July 1840 Cunard's first ship *Britannia* sailed from Liverpool for Halifax, Nova Scotia, and Boston, Massachusetts. On board was a cow to provide fresh milk for women and children passengers. As time went on, Thomas Ismay's White Star Line ended Cunard's ten-year monopoly because greater luxury was provided by the *Oceanic*, which was launched in 1869. In 1990, 150 years after *Britannia*, the Cunard ship *Queen Elizabeth II* made her way up the Mersey for the first time.

This splendid Liverpool Dock scene with the gigantic buildings behind forming one of the world's most famous skylines dates back to the 1930s, a time when, it was reported, 'visitors felt the awesome quality of Liverpool's grandeur'. In the 18th century the slave trade brought immense wealth. Liverpool had 105 slave ships, but when the notorious trade was abolished in 1807, cotton, sugar, timber and grain replaced human traffic. By 1850 Liverpool was the largest cotton port in the country and over five million bales a year were arriving by 1911. Business interests with America were enhanced by the laying of the transatlantic cable in 1866.

The high hopes that *Great Republic*, built in Boston in 1853, the largest merchant ship in the world, would create new records between New York and Liverpool were dashed when she was accidentally burned out to the waterline while loading grain for her first voyage. Although rebuilt, she broke no records and on her eventual arrival at Liverpool it was found that her length of 335 ft could not be accommodated at any dock in the port. This four-masted ship served as a troopship in the Crimean War and American Civil War.

SS *Mona III*, 1910. She was purchased in 1903. The first *Mona*, built in 1832, was sold in 1841 to a Liverpool firm which later sold her to the City of Dublin Company. She ended her days as a tug.

*Aquitania* in the Mersey, *c.* 1920. She was so immense that the River Clyde had to be freshly dredged when she was launched. Her length was 901 ft; her height from keel to boat deck was 92½ ft. Her funnels were so large that a bus could have been driven through them and her anchor weighed 12 tons.

RMS *Ben My Chree*, triple screw turbine steamer built of steel by Vickers, Son and Maxim, appeared in 1908. The largest and fastest coastal vessel in the world, she was fitted for war service as a sea-plane carrier and had a distinguished record. She took out the aerial appliances which were used to sink the German battleship *Konigsberg* in the Cameroons river, steaming all the way to East Africa at a rate of over 22 knots. Working in the Middle East, *Ben My Chree* was attacked by Turkey and set on fire. She fought on for eleven hours until the fire reached her own explosives, and ended her days sunk in a river far from her home in 1917.

Of the five ships of that name the first was a paddle-steamer which travelled between Liverpool and the Isle of Man in the 1870s. The fifth *Ben My Chree* was launched on 10 February 1965 at 11.30 a.m. from Cammell Laird and Company's shipyard by Mrs T.E. Brownsdon, wife of the director of the Isle of Man Steam Packet Company.

The first office of the Isle of Man Steam Packet Company in Liverpool. Left of the premises was the Liverpool Screw Towing Company and the Liverpool Lighterage Company of James Newton. Jane Riley's Dining Rooms were on the right. Edward Moore was the first agent in Douglas, a position he held until his death in 1865, working zealously to ensure the success of the Liverpool sailings. Mark Quayle was the agent in Liverpool.

The Company Bill of Summer Sailings between Liverpool and Douglas lists: '*Mona's Isle* to Douglas every Monday, Wednesday and Friday morning at 11 o'clock with passengers only . . . leaves Douglas for Liverpool every Tuesday, Thursday and Saturday at 8 a.m. Fares: Cabin 10/-; Steerage 5/-.'

Garston Dock, with SS *Baldwin* loading general cargo, 1909. Opened in 1846, the dock was developed by the London & North Western Railway Company. Liverpool had the first 'wet dock' in the country, built in 1715. Trade with British colonies, especially the West Indies, made the port busy and by 1850 Liverpool had succeeded Bristol as the premier slave trade port.

SS *Prince of Wales*, 1906. The Isle of Man, Liverpool and Manchester Company, generally known as the Manx Line, formed 1887, was the formidable opponent of the Isle of Man Steam Packet Company, having bought two very fast steamers, *Queen Victoria* and *Prince of Wales*, which accomplished the journey from Liverpool in 2 hr 59 min. Eventually these two vessels were purchased by the IMSPC.

The turbine steamer *Viking*, 1907. *Viking* was built by Sir W.G. Armstrong, Whitworth & Co., Newcastle-upon-Tyne. On her trials she broke records, attaining a speed of almost 23 knots. She was the first steamer of this type to be employed on the Isle of Man Steam Packet service.

Landing Stage and Liver Building viewed from the River Mersey, 1920s. Perched on the towers are the famous Liver birds. The bird, which first appeared on the coat of arms 700 years ago as the eagle of St John the Evangelist, the city's patron, passed into the folklore of the great port.

The headquarters of the Royal Liver Friendly Society, 170 ft high but 295 ft to the top of the two towers, has a floor area of 40,000 sq yd. Each main tower has six storeys, making seventeen in all from pavement level. The turret clock, with four dials each of 25 ft diameter, is one of the largest in the world. The hands of the clock weigh 5 cwt, the minute hand being 14 ft in length. 'The clock is connected with Greenwich and works electronically. Each day the current automatically corrects any fractional error which may have occurred during the preceding 24 hours,' Ward Lock's 1940 *Guide to Liverpool* told tourists. This veritable skyscraper was the nerve centre of great business and shipping companies.

*Conister G.T. 411* making for Coburg Dock, *c.* 1950. Built in 1921, she was bought by the Isle of Man Steam Packet Company for £5,500 while aground on the Tail of Mooragh Bank in January 1932 and refloated on the following spring tides. She served from 1932 to 1965, mainly carrying cargo between Liverpool and Ramsey.

The Landing Stage, 1937. In 1858 a board of twenty-eight members was set up, separate from Liverpool Town Council, to handle the trade of the seaport. In 1950 11 million tons of imports and exports were handled and the prosperity of the county of Lancashire depended on a continuation of this success. By that time the total length of the dock quays was 38 miles and the water area over 87 docks and basins was 653 acres.

This scene of Liverpool from the Mersey shows the ferry boat making for the Pier Head, known then as the Gateway to Liverpool, 1902. Ward Lock's *Guide* at that time recorded: 'Through it pass every year, not only many millions of ferry passengers, millions more of citizens and visitors who find the Landing Stage a delightful promenade, but also hundreds of thousands who every year cross the Atlantic to and from America.'

Liverpool's Salthouse Docks, 1932. Here cargoes were transferred to small steam barges for local delivery. The chief imports were cotton, timber, grain, provisions and tobacco. Exports were metals and machinery, cotton, linen and woollen goods from Lancashire, Yorkshire and the Midlands. A second dock, later called Salthouse, opened in 1753.

*Empress Queen*, 1899. This was claimed to be the largest and swiftest paddle-steamer of that time, and was the only Manx steamer of that name, which was decided upon by special permission to mark Queen Victoria's Diamond Jubilee. Involved in transport work during the First World War, she was wrecked off Bembridge Ledge on 1 February 1916.

Flour mills at the port of Liverpool, the greatest milling centre of the British Empire, early 1900s. This commemorative postcard issued by the Mersey Docks and Harbour Board shows Spillers Bakers on the right and Joseph Rank Ltd on the left.

*Pacifique* and a smaller sailing boat moored behind the goods station, 1880s. Shipping lines stressed their careful handling of goods transported and claimed that 'cotton [was] not carried on passenger steamers' because of its flammability.

The huge American steamer SS *Illinois* of the Dominion Line moored at Liverpool, 1870s. On the opposite side of the dock was *Leven*, which was sunk off Blackpool on 20 October 1873. The lifeboat *Robert William* rescued two of her crew.

A view of the Landing Stage and Overhead Railway showing (left) lines of hansom cabs and open-topped trams advertising Crawford's Cream Crackers, 1908. The Church of Our Lady and St Nicholas at Pier Head can also be seen.

The Overhead Electric Railway, 1909. This railway, 16 ft above the roadway, was constructed to serve the docks and to run from Dingle in the south to Seaforth and Litherland, a distance of 7 miles. The first overhead line in Europe, it opened in 1893.

Isle of Man Steam Packet Company steamer *Tynwald*, backed by the Mersey skyline, on her way to the breaker's yard in 1975. Built by Cammell Laird in 1947, she gave faithful service, one of the most hard worked of their vessels.

The Mersey Docks and Harbour Board Offices, built at a cost of £250,000, almost square at the base and measuring 260 ft by 220 ft, 1920. The main entrance was flanked by two figures, one bearing a spinning wheel, the other a ship to represent the sources of the city's greatness. In its marble floor was the design of a compass.

Prince's Landing Stage, from where all the great liners sailed, 1900. Prince's and the George's landing stage were connected to the mainland by ten hinged bridges nearly half a mile long and 80 ft wide, resting on 200 iron pontoons. In 1874 the Landing Stage was burned out and the whole structure replaced at a cost of £150,000.

Exchange Flags under snow, 1911. In the centre is the Nelson Monument, erected in 1813, Liverpool's first public sculpture. The city was so prosperous that in 1801 the £80,000 needed to build an Exchange was subscribed by merchants within three hours and the building opened for business on 1 January 1809. (See also p. 53.)

*St Tudno*, which with sister ship *St Seiriol* sailed from Liverpool to North Wales, 1950. Moored behind the *St Tudno* is *Carinthia*.

*Empress of Scotland* ready to leave Liverpool, 1950. Built in 1930 as the *Empress of Japan*, when Japan entered the war she was renamed. After war service as a troopship, owned by the Canadian Pacific Railway, she sailed from Liverpool to Quebec and Montreal.

Henry Pilling Jnr on board a ferry boat, possibly
*Seacombe*, 1924. Seacombe was the
southernmost part of Wallasey, the nearest to
Liverpool, just three-quarters of a mile from
George's landing stage. In foggy weather the
ferry boats could be directed to either
Seacombe or New Brighton by means of the
shore-based marine navigation station, the first
of its kind in the country. A 1930s *Guide*
referred to the enormous crowds of workers
crossing to and returning from Liverpool by
ferry in the morning and evening.

The Liverpool and Birkenhead new ferry steamer *Cheshire*, 1863. By this time Liverpool was a name to
conjure with for world-wide commerce, and this new ferry steamer was considered sufficiently important
to appear with full description in the *Illustrated London News* on 31 October of that year.

The new type ferry boat *River Mersey* some years later, February 1957. There is a liner in the background and many important buildings against the skyline, beginning with the Church of Our Lady and St Nicholas (left) topped by its buttressed open lantern. The three main buildings at the Pier Head, all striking in appearance, are the Royal Liver Friendly Society Building, opened on Coronation Day, 20 July 1911 (see p. 28), the Cunard Building and the offices of the Mersey Docks and Harbour Board (see p. 34).

The Cunard Building, erected between 1912 and 1916 in Renaissance style, bears the shield of the Cunard Steamship Company supported on an eagle. As it was completed before the end of the First World War the Allies are commemorated. The arms of Great Britain, Ireland, France, Russia, Italy, Japan, Belgium, Serbia and Montenegro and also those of the principal ports of Great Britain have all been incorporated, and in front is the Cunard War Memorial.

The Mersey Ferry has an ancient history dating back to the Middle Ages when Liverpool burgesses obtained the right to use the Birkenhead Ferry free of tolls, but the Prior of Birkenhead, whose monks operated the ferry, held the right to take toll from travellers visiting the Priory. The normal charges of twopence for a horseman and a farthing for a pedestrian were increased on Saturdays and market days.

*British Prince*, 1870. This ship, built by Clover of Birkenhead, was one of a fleet of sixteen iron ships, each weighing 1,250 tons. Under managing director James Beazeley, they comprised one of the largest fleets of iron East India traders. She was lost in February 1872 when bound for Calcutta, but all her crew was saved.

The 380-bedroomed London and North Western Hotel, Lime Street, 1894. This was a convenient resting place for rail travellers and the many Americans who arrived from New York. Such tourists were aware that the US consul from 1853 to 1857 was their novelist Nathaniel Hawthorne. This vast hotel was designed by architect Alfred Waterhouse.

White Star liner RMS *Oceanic* just before the turn of the century. In 1869 T.H. Ismay founded the Oceanic Steam Navigation Company which later became known as the White Star Line. Ismay, an enterprising man, believed in iron ships 'at a time when many a more conservative shipowner was bewailing their advent'. Shipowner William Imrie came into partnership with T.H. Ismay in 1870, but the latter continued his interest in his sailing ship fleet, changing to Harland and Wolff for the building of his windjammers. Ismay and Imrie were very able men who trained in ship management in the office of the long-established firm Imrie, Tomlinson and Company. In 1868 Ismay bought the houseflag of Pilkington and White Star Line for £1,000.

The first iron ship of the new White Star Line was the 750-ton *Explorer* built by Evans. She left Liverpool for Australia on 21 March 1868 and arrived in Melbourne ninety days later. Other Ismay ships built between 1862 and 1869 were *Amnita* and *Victoria Cross* built by Jones of Liverpool; *Don Guillermo* built by Evans of Liverpool; *Yosemite, Malacca, Castlehead* and *Victoria Tower*. *Hoghton Tower*, 1,598 tons, built by Clover of Birkenhead in 1869, was the fastest and best known. There were two ships named *Oceanic*, the second operating between 1899 and 1916.

# STREETS & BUILDINGS

*St George's Hall and Lime Street, 1902.*

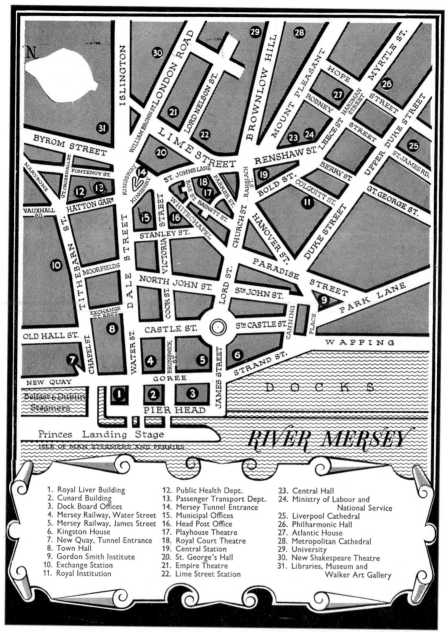

A Liverpool street map for tourists issued *c.* 1948, showing all the main places of interest in and around the city centre. Good guides also gave comprehensive information on hotels, car parks, road routes, railway, coach, air, bus and tram services, and more. An amazing number of consulates, forty in all, including Argentina, Cuba, Greece, Liberia, Peru, Uruguay and Yugoslavia, were listed. Visitors would no doubt be surprised at Liverpool's literary associations: the poetess Felicia Hemans; writer and statesman W.E. Gladstone, who had lived at 62 Rodney Street; Arthur Hugh Clough; Thomas Carlyle; Washington Irving, who had a business in the Goree Arcades; and Nathaniel Hawthorne, who had lived at Rock Ferry. Edward Russell edited the Liverpool *Daily Post* in three reigns, John Masefield was a native and Hall Caine served his apprenticeship in the city. The Town Clerk's Office in Dale Street furnished further information.

The 14th-century tower founded by Thomas Latham was fortified by the Stanleys soon after 1400. From 1740 to 1810 the town council used it as a gaol. When Water Street was widened in 1821, about the time of this engraving, the remains were pulled down. The tower building near the waterfront was erected on this site.

The Theatre Royal, Williamson Square, from an engraving published in 1804. Opened in 1772, it was the second theatre in the city. During the late 18th and 19th centuries many well-known actors appeared there. In 1890 the building was converted into a cold storage depot, which was knocked down in 1970.

Duke Street in the early 19th century. Such old streets were full of history: Cockspur Street with its first cock pit in 1567 and High Street, known as Juggler Street, where the mayor's Sunday dinners were held. These started as frugal affairs but grew in grandeur until one mayor died insolvent.

Samuel Briggs of Burnley worked at Penlington and Batty's stores in the late 19th century and possibly 'lived in' at the shop, as was customary at the time. Penlington and Batty in Castle Street specialized in chronometers, watches, clocks and bronzes. Seamen purchased their Pillischer binoculars from this shop which, complete with case, cost £2 15s. A Benson's gold watch cost £25. When Samuel worked in Liverpool it was possible to buy 'a large, sturdy dog kennel for a mastiff' for only three guineas.

Speke Hall, an Elizabethan house 7 miles from the centre of Liverpool, 1963. Rich in panelling, carving and plaster work, it was leased by Liverpool Corporation from the National Trust. In the 1950s admission cost one shilling. The black and white architecture of the hall and the interior have survived untouched since the 17th century. The Norris family came into possession of the manor of Speke in 1320 and the present building was probably erected by William Norris in the 16th century. The great hall was altered *c.* 1560 when a fireplace and chimney-piece were added. Here also is a portrait of John Middleton (see p. 117). The ancient moat, now dry, is crossed by an Elizabethan bridge leading to the main entrance. A carved sideboard, five chairs, 16th-century table and unusual candelabra carved out of wood, together with kitchen utensils, are all on show. The Royal Oak bedroom is supposedly where King Charles I slept.

The Bluecoat Hospital and School founded in 1709 by Bryan Blundell, a member of the Catholic family of Ince, near Wigan. Bryan was a seaman and sympathetic towards the poor of Liverpool. He raised funds and by 1756 a hundred children were being cared for. This building in School Lane was partly gutted in the Second World War but has been rebuilt.

The 18th-century Sessions House near St Nicholas's Church in Chapel Street. A later County Sessions House was built in 1884 to blend with other fine buildings in the Classical style. Its main front had a portico of double columns.

Liverpool's coat of arms. The legend to this depiction from the early 1950s reveals that the 'Liver' bird was probably derived from the common seal of the town lost during the siege of 1644. Thus the original eagle of St John came to resemble a cormorant and the fleur de lys was transmuted into laver seaweed.

The Parish Church of Our Lady and St Nicholas, known as the 'Sailors' Church', 1850. Situated at the Pier Head, it was a very familiar part of the Liverpool skyline. The church, originally dedicated in 1360, commands a view over the Mersey from a site thought sacred from time immemorial. From the 120-ft high tower it was a magnificent sight when large numbers of vessels were entering and leaving the Mersey. The lantern, spire and tower were retained after most of the building had been destroyed in a major blitz on the city in the Second World War.

When the town was besieged in 1644 St Nicholas housed prisoners of war. In 1725 six new bells were placed in the steeple and on 17 April 1834 the church was lit by gas. Thirty years later a serious fire occurred. At that time overcrowding of churchyards was making it imperative to remove bodies to newly created cemeteries such as that at Anfield. From St Peter's churchyard, for example, 2,000 were removed 'with the utmost decency and propriety'. Some coffins were found to date from the early 1700s.

The tram on Commutation Row advertises the Liverpool Furnishing Company, 1906. A brewer's dray loaded with beer barrels and drawn by two strong horses is shortly to pass the Walker Art Gallery, the money for which was provided by Sir Andrew Barclay Walker who was mayor in 1873.

Faraday and Sons, 'Golf Specialists', figure in this 1902 Bold Street scene. Hansom cabs and hackney carriages have not stopped pedestrians from wandering into the road. Colquitt Street on the right housed the Royal Institution, established in 1814. St Luke's Church in the distance was later badly war-damaged.

Bold Street, *c.* 1900. 'This is where all the best shops are. Went with a friend to buy a hat, 3½ guineas, also a 6 guinea costume and two new dresses,' wrote Elizabeth on the back of this postcard. 'Then on to Quinn's Oyster Bar in Bryther Street.'

The general post office in Victoria Street in around 1940 when it opened from 8 a.m. to 8 p.m. including Bank Holidays, and with restricted business on Sundays. Post boxes were cleared at 8 p.m. for the London mail and at 9.30 p.m. for the rest.

Ranelagh Street, in the heart of the city, when horse-drawn vehicles were still the major transport of the day, 1902. On the right is the entrance to the massive Central station, covering an area of 4½ acres – most of which had to be hewn out of solid rock. The low level station, 30 ft below ground, was at the western end of Central station down a subway, a useful connection for passengers travelling to Birkenhead and New Brighton. A luggage lift was provided. Through trains to London Marylebone and St Pancras ran from Central station.

Next to the station Lewis's store occupied a prime site, its lettered sign clear against the skyline. First in many fields, Liverpool had the first-ever department store in this branch of Lewis's. No thought then of the blackened shell of a building, totally gutted by bombs and fire, which greeted the eyes of citizens on the morning after the May 1941 blitz on Liverpool. Lewis's was destroyed along with countless other buildings, and there were more air raids to follow.

On the left of the busy street along which proceeds one of the frequent city trams (this one advertising Berwick's baking powder) the shops include W.B. Sweetman, Charles and Company and the ever-popular Phillips's tea rooms immediately opposite Central station. Note the sandwich board man outside Phillips's.

Church Street advertising Ogden's cigarettes and, on the left, Bunneys Ltd, specialists in oriental goods brought in by Liverpool ships, 1902. From early days this street was famed for shops, hotels and good restaurants.

This Wavertree house was claimed to be the smallest in England, 1905. Now very much a part of the city, Wavertree was once a quiet village with a number of old houses. Woolton was another old suburb which was mentioned in Domesday Book, where the name was spelt Wolveton. The village cross dated back to the 14th century and bore a Latin inscription which meant 'The Cross is the power of God'. The Knights Hospitallers of St John who were active in the 12th century had a lodge at Woolton. West Derby was also entered in Domesday Book and is older than Liverpool itself, which is situated in the Hundred of West Derby.

Another old village, Everton, was where the famous Everton Toffee was made by Molly Bushell in 1750. She was so successful that her house was not big enough to cope with the demand and she had to build bigger premises.

Victoria Buildings (University College), on the north side of Brownlow Hill, 1950s. Built of red brick, with its clock tower, it was designed by the Liverpool architect Alfred Waterhouse. Originally linked to Victoria University of Manchester, in 1903 it became a separate university. Later Charles Reilly designed the Students' Union. Departments of surgery, anaesthesia, photography, physics, veterinary science, mathematics and oceanography followed. An early electronic computer was housed in Bedford Street. Walnut Street, where the students' favourite public house (Mrs Mac's) was situated, has completely disappeared. The new block of buildings for Liverpool University opened on 17 December 1892 and is inscribed within: 'Raised by the men of Liverpool in the year of our Lord 1892 for the advancement of learning and the ennoblement of life'.

The Exchange, 1929. In the 19th century merchants used to meet to transact business in the arches below the town hall and then at the space in the rear which became known as Exchange Flags, but in rainy weather it was inconvenient. Business and commerce so increased over the next half-century that the Flags and the Exchange itself were not sufficient to encompass it all. The building was enlarged to occupy 2 acres. As at Manchester, even this additional space was inadequate. The Second World War interrupted further construction.

In the north-east corner of the Flags the remains of the Old Exchange have been kept. The New Exchange, built when James Crosbie was mayor, opened with a great ball attended by 340 ladies followed by a whole week of festivity. Eventually a large new building, Derby House, was provided. A fine frieze and statuary speak eloquently of the civic pride alive at the time. In Old Hall Street, next to Albany Building, was the Cotton Exchange. (See also p. 35.)

The 150-ft high fluted Wellington Memorial column, designed by Lawson, 1909. On the top is the statue of the Duke of Wellington cast from cannon taken at the Battle of Waterloo. It was placed in the triangle between Commutation Row and William Brown Street where stretched a particularly fine range of buildings: the City Technical College and the Museum Extension; the Museum and the Public Library; the Picton Reference Library, the most important in the city; the Walker Art Gallery and the County Sessions House.

Liverpool Museum, the entrance hall, early 1900s. This also was the gift of rich Liverpool merchant William Brown. Opened in 1860, it housed among other exhibits the Natural History Collection of the 13th Earl of Derby and a unique collection of 70,000 bird skins. The building was gutted by bombs in May 1941 but much of its valuable collection had already been taken to a place of safety.

London Road tram 173 passes the Legs O' Man Dining Rooms on a sunny day in 1900. This old inn was on the corner of Lime Street. George Riding, a resident of London Road, left £900 to charities in Liverpool in 1872 a few days after the visit of the Duke and Duchess of Teck.

The old Liverpool Cathedral, which was demolished in 1922, seen here in 1907. In 1880 the Bishopric of Liverpool had been instituted and the Parish Church of St Peter assigned as cathedral. The cathedral communion plate was designed by Messrs Elkington and was placed on view in 1883.

The Walker Art Gallery, another of Liverpool's great buildings, was presented to the city in 1873 by Sir A.B. Walker when he was lord mayor. It was designed in Corinthian style by Cornelius Sherlock and H.H. Vale, with marble statues of Raphael and Michelangelo placed on either side of the portico. Within five years of opening it was extended as the collection had grown so rapidly. This made possible Sir A.B. Walker's wish to hold an annual exhibition like that of the Royal Academy in London. A further nine rooms were added in 1933 when Lord Wavertree bequeathed £20,000 and a collection of his sporting pictures.

    The Walker Art Gallery is one of the most important repositories for early Italian masters and English painters. Reynolds, Gainsborough, Romney, Raeburn, Thomas Girtin, the Pre-Raphaelite School, Wilson Steer and W.R. Sickert are all represented.

The Picton Library, jokingly referred to as Picton's Gasometer, was of large circular shape, 100 ft in diameter and 60 high, embellished by Corinthian pillars. Built in grand style like the Reference Library of the British Museum, it opened in 1879. Picton Hall beneath was excavated out of solid rock.

Sir William Brown MP presented the Brown Library in 1860. Designed by Thomas Allom, this is yet another Liverpool building with a fine portico. An air raid in May 1941 caused extensive damage, destroying all the books.

Lewis's department store, 1905. Lewis's published a *Record of Remarkable Shipwrecks 1838–1880s*, price one penny. They also used the Atlantic cable ship *Great Eastern* to advertise their Liverpool branch. The ship had arrived in the Mersey on 19 September 1866 after successfully laying the Atlantic cable and recovering the failed one.

The statue of Queen Victoria under a domed canopy in Derby Square was unveiled in 1906. The square, which is on the site of the castle built by King John, marks the meeting of important streets including Castle Street, one of the original city streets.

Dale Street, seen here on a busy day with all manner of horse-drawn delivery vehicles, 1920s. Tram 220 advertises Morath Brothers of Dale Street who sold watches. A continuation of William Brown Street, it led to the town hall, the Exchange and eventually, as Water Street, to the Pier Head. One of Liverpool's original streets, it is steeped in history. In the 16th century a curving inlet of the River Mersey was known as 'The Pool', around which grew the core of the city: Dale Street, Castle Street, Chapel Street, Tithebarn Street, Water Street, High Street and Old Hall Street. There were more than 500 inhabitants, mostly engaged in fishing and agriculture. The Mayor's House was originally situated in Dale Street, a thatched building of modest proportions in the 16th century. The huge Royal Insurance Building in Dale Street, erected between 1897 and 1903, was one of the first great office blocks. The Prudential Assurance Building was designed by Alfred Waterhouse.

The Cenotaph, 1931. This was situated on the plateau separating St George's Hall and Lime Street, was designed by L.P. Budden and dedicated to the fallen of two world wars. Thorneycroft's bronze equestrian statues of Queen Victoria and Prince Albert, right and left of the Cenotaph, were unveiled in 1871 and 1866 respectively. In front were placed four bronze lions.

Central station, 1905. The main entrance shown was in Ranelagh Street on the corner of which was the Lyceum with its Ionic portico dating back to 1758. The news room and coffee room at the Lyceum were popular with Liverpool gentlemen.

Lime Street, showing Jacob's large tailoring establishment with Burton's opposite, 1905. Laid out in 1745, it was first called Lime Kiln Road. In 1790 it became Lime Street, and later the site of the kilns was occupied by Lime Street station. There were many rope walks adjacent but by 1825 both sides of the street were built up.

Lord Street, with a tram travelling to North Docks and a road sweeper (right), 1909. In the early days there were only two main thoroughfares, Castle Street and Juggler Street (the High Street) and for 400 years there was not much change, the town being referred to as 'cabin'd, cribb'd, confined'.

William Brown Street and St John's Gardens, 1907. In the middle distance is the Great Northern Railway works depot with the tall mill chimney behind.

William Brown Street, showing the library and museum which were opened in 1860 and feature an impressive portico of Corinthian columns beneath a pediment. This view is from the days of horse-drawn traffic and leisurely hand carts.

W.P. Hartley's Aintree Works, 1922. Motor loads of Seville oranges just arrived by steamboat are being unloaded. The caption on the card reads: 'This is Sugar Street — a covered roadway in Hartley's works. During the year about 15,000 tons of sugar are unloaded for the making of Hartley's Jams and Marmalade. The view shows motor loads of Seville Oranges just arrived from the steamer.'

The fountain, art gallery and museum in William Brown Street, 1920. The Museum Extension Galleries and the Technical College designed by W. Mountford and finished in 1906 completed this fine range of buildings.

The town hall, Dale Street, Liverpool's oldest public building, 1932. Designed in the Classical style so favoured by the city fathers, it was built in 1754 by John Wood of Bath. The council chamber and ballroom were added in 1789, the dome in 1795 and the well-known portico in 1811. C.F. Rosai's gilded statue of Minerva, the goddess of wisdom, is seated on the dome designed by Matthew Cotes Wyatt. The Liverpool writer Helen Forrester revealed that she found Minerva a comforting presence in her poverty-stricken childhood. The town hall occupies the site of the old High Cross, a thatched building which was covered with slates in 1567. In the late 17th century a replacement building incorporated a square lantern above the roof which made an excellent look-out to espy vessels entering the Mersey.

The banqueting hall at Liverpool Town Hall, 1930. This Grade 1 listed building is said to have one of the best suites of civic rooms in the country. Each chandelier in the ballroom contains 20,000 pieces of crystal and weighs a ton. At one time in its history angry seamen protesting against low wages fired a cannon at the stonework.

St George's Hall, one of the architectural glories of Liverpool, in the Greek style, 1902. Harvey Lonsdale Elmes, whose design was accepted when he was only twenty-four years old, died at the age of thirty-three. Commenced in 1838 and opened in 1854, it cost £333,000 including furniture. Under the one roof were two assize courts, a concert hall and a great hall for public gatherings. Seven miles of underfloor pipes provided ventilation. The south portico supported by eight Corinthian columns has the famous Caen stone sculpture within its pediment. Designed by C.R. Cockerell, it represents Commerce and Arts in relation to Britannia: '. . . dedicated to the arts, to law, to assemblies, the municipality instituted this place AD 1841'.

The floor, an elaborate design of encaustic tiles in the great hall, is kept permanently covered with a wooden floor to protect it. It is shown to the public at intervals down the years, 1987 being the eighth showing this century. Composed of 20,000 tiles made in the Potteries, bands of stone are intermingled to produce the mosaic effect. The geometric design is based on circles, the largest of which, 40 ft in diameter, depicts the Royal Arms surrounded by a laurel wreath and stars of sixteen points. Tritons, dolphins and other nautical symbols feature as do the Arms of Liverpool, the Star of St George, Rose, Thistle and Shamrock. A new wooden floor was laid in 1965, each section of which is carefully numbered to mark its position.

The main hall in St George's Hall measures 169 ft long by 74 ft wide with room to seat 2,500 people. An arched ceiling spans the width of the hall. The columns are of polished red granite with space for statuary. In 1957 at the time of this photograph it housed the great Willis organ.

Princes Road, a fine boulevard leading to Princes Park, the park nearest to the city centre, 1908. Catherine Street and Upper Parliament Street also led to the well-laid-out 44½-acre park. It was said that Liverpool planned and laid out more parks than any city in the world.

The Philharmonic Hall. Opened in 1939 on the site of its famous predecessor which had started life in 1849, it is one of the finest concert halls in Europe and has recently undergone refurbishment. Home of the Liverpool Philharmonic Orchestra, it is situated in Hope Street and the orchestra jocularly referred to as 'the Band of Hope Street'. On 20 April 1965 at his 70th birthday concert Sir Malcolm Sargent conducted the programme which included Elgar's Symphony No. 1. The resident conductor in the 1960s was Charles Groves.

The Philharmonic Society, now almost 200 years old, became one of the most important groups of its kind in the country. In the 1950s it organized orchestral concerts on Tuesdays, Saturdays and Sundays from autumn to spring. Hugo Rignold was the society's permanent conductor; there were also frequent guest conductors.

Liverpool Cathedral, built of red sandstone quarried mainly at Woolton within the city boundaries. The bishopric was instituted in 1880 with St Peter's Parish Church serving the diocese, but a cathedral worthy of the city was desired and in 1887 £41,000 was raised. Little progress was made until 1900 when Dr Chavasse was appointed second bishop and, working with a committee, he raised £325,000. St James's Mount was selected as the site and King Edward VII laid the foundation stone on 19 July 1904. In 1910 the Lady Chapel was consecrated. Building continued over the years, the west transepts being finished in 1941, the tower and two side porches in 1950. During the 1950s weekly recitals were given on the cathedral's great organ by H. Goss Custard.

A postcard of Lord Street issued by Lewis's Ltd, early 1930s. Under the clock on the left is a jeweller's and goldsmith's shop. Horse-drawn traffic has been superseded by the first motor cars. In 1825 an Act of Parliament was obtained to widen Lord Street and John Street, and the work was completed by 1829.

Church Street shows gaps where buildings were destroyed in the Second World War, late 1940s. Lord Street also suffered great damage. Frank Winfield Woolworth opened his first shop in Britain in Church Street in 1909.

Brownlow Hill, showing the site cleared for the erection of the Roman Catholic Metropolitan Cathedral, 1932. The original design by Sir Edwin Lutyens was for three porches leading to a central area, soaring 520 ft to the lantern. Work began in 1933 but was delayed by the Second World War, after which construction plans for the cathedral were changed.

Lime Street with increased motor traffic, crowds of pedestrians and the introduction of Belisha crossings, 1950. It was still dominated by one of the finest neo-Grecian buildings in the world, St George's Hall, which was originally designed to accommodate the four-day musical festival which the city held every three years.

# PEOPLE & EVENTS

*Lillie Langtry, the 'Jersey Lily', 1852–1929.*

Mrs Adolphus, when she sailed for India, *c*. 1840. Liverpool port charges were then quoted on a broadsheet, *The Liverpool Docks Meeting of the Dock Committee* (Daniel Mason was secretary): '1/6d per ton for sago inwards; cotton from India twopence for 100 lbs; oranges and lemons twopence per cask; tar three halfpence per barrel etc.'

Mrs Adolphus took a large wardrobe of clothes, furniture and cooking utensils for use when she arrived in Bombay. Stores advertised their services in the press, especially for brides going to India and elsewhere. Prices in *The Graphic* on 12 July 1884 are amazing: Robinson and Cleaver's Irish linen trimmed chemises 5*s* 6*d*; nightdresses 8*s* 6*d*; combinations 6*s* 11*d*. Blankets, lace and linen curtains and antique laces, 'the work of very poor Irish women who earnestly desire help', are all offered. Egerton and Burnett, who supplied royal and imperial courts, would send their woollen serge, price 1*s* 2½*d* to 4*s* 6*d* per yard, carriage paid to any railway station.

This Liverpool family emigrated to the New World in the late 19th century, seeking a more prosperous life. Work on the Canadian Pacific Railway opened up opportunities for some men. For emigrants in the Hungry Forties, Liverpool was often their last sight of the old country. Passages were then perilous and conditions were spartan, even if the crossing was made safely. In 1896 White Star Line Royal Mail steamers took the 'specific outward and homeward tracks adopted by the leading Liverpool and New York Steamship Companies'. Ships *Majestic, Germanic, Teutonic* and *Britannic* made sailings on Wednesdays. 'Steerage passage at low rates including outfit free of charge to New York, Boston, Philadelphia or Baltimore.'

Superior accommodation for saloon and second class cabin was available and Ismay, Imrie and Company of 10 Water Street, Liverpool, welcomed enquiries about through bookings to China, Japan, New Zealand and Australia. There is no doubt that Liverpool provided the fastest ships to Australia when the gold rush fever started. John Pilkington and Henry Williamson of White Star Lines were the brains behind this in 1852, followed by Eagle Line, Golden Line, Mersey Line and Black Ball Line, collectively making Liverpool the chief emigrant port in the country.

The Lifeboat at work. Throughout the stormy 1860s, '70s, '80s and '90s there were many valiant attempts to save the crews of stricken vessels, wooden sailing ships especially being very much at the mercy of the stormy seas. The proprietors of *Punch* magazine issued a special poem in their praise in 1892. Businessman Charles Macara wrote: 'Having a seaside residence on one of the most dangerous parts of the Lancashire coast, I have had opportunity to witness the conspicuous gallantry of our Lifeboatmen.' The popular lifeboat song of the 1890s was:

Not a moment waver our heroes bold
As their boat they bravely man.
The fate of a crew in their hands they hold
And they'll save if save men can.

This prosperous Liverpool lady was photographed in 1870 by Vanderbilt of 10 James Street. The Vanderbilt family owned a shipping line. Vessels entering the port then numbered 270,000. Calcutta jute clippers, tea and wool clippers, all of different nationalities and house flags, added to the colourful scene on the waterfront. It was a prosperous city with numerous bequests. Mrs Lawrence, wife of the lord mayor, was presented with a silver cradle on 7 November 1865; Dr Howson with a silver salver and a cheque for 1,000 guineas on his resignation from Liverpool College in May. Foundation stones for two churches were laid and the new chapel at the Northern Hospital built that same year. There was a grand banquet in 1866 given by the merchants and shipowners at the Law Association Rooms in Cook Street to celebrate the successful laying of the Atlantic cable.

Photographed by Mr Keig of Prospect Hill, Douglas, Isle of Man, this lady came to Liverpool in 1887 to visit relatives connected with the Fleetwood and Blackpool Tramroad. Leaving Liverpool, she travelled by train and wagonette into the Fylde of Lancashire. Thomas Keig, an earlier member of this Douglas family, ran away to sea at the age of twelve to join the brigantine *Village Girl*. After seal-hunting off Labrador he sailed in many voyages, eventually joining the Isle of Man Steam Packet Company in 1865 where he served for fifty years, making numerous trips to Liverpool. He became commodore when the company's leading ship was *Empress Queen*, and in 1915 brought *Ben My Chree III* to Liverpool to be reconditioned for war service.

Eleanor Eccles photographed with her tennis racquet in a Liverpool studio, 1884. The games of tennis and cricket were sweeping the middle classes and it was popular to show your preference by using a photograph as a Christmas greeting card. In that year brooches of sterling silver in the shape of crossed tennis racquets with a pearl for the ball were advertised in the *Daily Graphic* as 'the most fashionable brooch of the season'. They cost 3*s* 6*d*. Tennis clubs opened in Liverpool's parks. There were young ladies' academies and boys' schools such as Liverpool Collegiate whose prospectuses boasted all manner of sport including fencing and Swedish drill. By the 1940s guide books for visitors pointed out: 'There are public grass and hard courts in most of the parks. The tennis courts at Aigburth have more than a local reputation as they are frequently the scene of Northern Counties Championship Matches.'

Tom 'Cuddy' Cookson came to Liverpool with
the Irish influx in the 19th century. He established
himself at Irish House Farm in the Fylde. On 17
April 1847 the newspapers reported that:
'Upwards of 90,000 poor Irish arrived at the port
since the beginning of the year.' They brought and
added to the cholera which existed in the city of
Liverpool. Fever sheds were opened in Mount
Pleasant where '15,000 deaths occurred from
fever and famine'. On 7 July of that year the
Grand Duke of Constantine from Russia visited
Liverpool and the electric telegraph was opened
in the Exchange Buildings.

The wedding of Jack and Anne Nicholson, 1901.
At some point they left Liverpool to help in
taking over Rawcliffe Hall on the banks of the
River Wyre when it became a hotel. Jack's
cousin Peter Nicholson served in the Lancers
during the Boer War.

'Dawsey' David Kewley (1850–1904) was one of the Isle of Man Steam Packet Company's boatmen. He was awarded the Royal Humane Society's bronze medal and certificate for saving thirty-five men from drowning. Before the landing stage was built boatmen had to row passengers ashore. David Kewley would report to the office of Mark Quayle, the first agent of the Isle of Man Steam Packet Company in Liverpool, which was on Mann Island at 15 Nova Scotia Street. Mann Island was actually an island separated from Liverpool itself by Canning Dock and George's Dock. The connection was by swing bridges.

Edward Moore, 1860. He was highly esteemed in both Liverpool and the Isle of Man for his tireless work to improve services between Douglas and Liverpool. In an article on 22 May 1899 the *Liverpool Daily Post* believed the record of the Isle of Man Steam Packet Company to be 'unmatched in the whole shipping industry . . . it has conducted its business without loss of life and serious accident'. For Edward Moore's great part in this success the company wished to erect a monument to him, but his family opposed the idea. Mr Moore died in 1865, having seen the launch and success of the early steamers *Mona's Isle*, *Mona*, *Queen of the Isle* and *Ben My Chree*, the first iron-built steamer.

This wreck off Merseyside towards the end of the 19th century drew many curious sightseers, the crowds often hampering salvage work. *Parsee*, sailing from Liverpool in 1892, encountered a great ice barrier where even the *Great Britain* had been embayed and which caused *Cromdale* to thread her way through 200 icebergs.

*City of Glasgow* steam lifeboat, 1894. The first steam lifeboat was built in 1890 by Messrs R. and H. Green of Blackwell Yard. Named *Duke of Northumberland*, after the president of the RNLI, she held her trials at Albert Dock and was so successful that *City of Glasgow* was ordered, finally destined for the city of that name.

The *Duke of Northumberland* lifeboat undergoing trials in Albert Dock, 1894. On board were some of the councillors in their shiny top hats. The RNLI was enthusiastic. 'A lifeboat rescue was effected off Liverpool which conclusively proved the superiority of the steam lifeboat compared with the old-fashioned sail and oars boats.'

On 27 January 1894, receiving signals that a vessel was aground on Taylor's Bank near Formby Lightship, Captain Martin and his crew made a bee-line for the wreck. The sea was very rough with broken water about the shallow sandbanks at the mouth of the Mersey. After making fast with a line, they took the crew of six men and a dog off the *Maria Lamb* and returned to Liverpool. Interviewed later by the *Sunday Chronicle*, the *Duke of Northumberland*'s captain said: 'They must be the boats of the future. We can go straight for anything with steam and not waste time. Suppose you miss your mark with a sailing boat you have all the ground to go over again.'

Sometimes crews were rescued by vessels out at sea. Captain Niels Hultgren had set off from Liverpool to Norway in the barque *Thilda* with a cargo of salt. A gale blew up and 'took foretop mast and main topgallant, leaving only the mizzen stay sail'. He flashed signals and burned flare lights until 5 a.m. when the *Duke of Connaught* came to the rescue and took off the crew of seven. By this time the barque had 7 ft of water in her hold and the terrified Negro cook, on the point of drowning, seized the clothing of the steward of the *Duke of Connaught* by his teeth.

Fashions worn by the ladies accompanying Liverpool dignitaries when the new ferry boat for Liverpool and Birkenhead was launched in 1869 (see p. 37). These were also described in detail in the *Illustrated London News* of the day. The arrival of the crinoline hoop in women's dresses was wittily referred to as 'the first great triumph of the machine age'.

Sappers of the 28th Company, Royal Engineers, with Drum Major Ramsden in the centre. All their instruments were home made and the band travelled around to entertain, usually in the grand parades. An old Liverpool resident recalled seeing them in Southport, now part of Merseyside.

Egremont, near Seacombe, 1900. This was the longest pier on the River Mersey. Damaged by shipping, it had to be demolished in the 1940s when the ferry service ended. Captain John Askew from Egremont in Cumbria was associated with the ferry, but the only remaining reference is a public house called The Ferry. The Liverpool Home for Aged Mariners was built at Egremont in 1882.

The Asiatic Village at the Liverpool Exhibition, 1900. Important cities such as London and Liverpool marked the turn of the century with an exhibition involving natives from overseas. Whole villages were set up in which the visiting races portrayed their way of life.

A party of local dignitaries clad in oilskins watch break-through of the red sandstone by boring machine, 17 January 1884. The party then made its way on foot from one side of the river to the other. A railway under the River Mersey had been talked of since the early days of the century and by 20 January 1886 when the Prince of Wales declared the tunnel open at James Street station the need was obvious, as 26 million passengers crossed the Mersey by ferry boat each year. Getting rid of smoke from the locomotives was a problem until electrification in 1903. It was the world's first major underwater railway and the first in Britain to change from steam to electricity. After the official opening, the general public got their once-in-a-lifetime chance to walk under the River Mersey and crowds turned up in their thousands at James Street station in 1886. It was certainly something to tell your grandchildren about, as did William Henry Pilling (see p. 85) who was twenty-eight at the time.

Crown Street railway station, terminus of the Liverpool and Manchester Railway, 1831. By the 1940s the principal stations were Lime Street, Central, Exchange and Woodside. There was also the Mersey Railway under the river to Hamilton Square station, Birkenhead.

Woodside station booking hall, Birkenhead, built in the style of a baronial hall with massive roof trusses and stonework. Designed by R.E. Johnstone in 1878, it was demolished in 1969. Woodside also had an iron-arched train shed which allowed a wide area to be spanned without intermediate support.

This little girl in velvet, lace, ribbons and button
boots in P.H. Slater's studio at 343 Derby Road was
photographed in 1886, the year when Queen
Victoria with the Duke of Connaught and Prince
and Princess Henry of Battenburg came to
Liverpool. Soldiers fired a royal salute of twenty-
one guns from the North Fort and 50,000 children
lined the route to the New Exhibition Building. As
the queen unlocked the door with a gold key
designed by Sir George Chubb a further twenty-
one guns were fired and the International
Exhibition of Navigation, Travelling, Commerce
and Manufacture was declared open. The 1880s
saw many important visitors from Hawaii, Japan
and Siam. In 1886 a rajah from central India came
with his retinue. The following year large sums of
money were collected for Queen Victoria's Golden
Jubilee, when 90,000 children were admitted to
the exhibition as a jubilee treat. This little girl
would probably be among them.

Cottier and Cubbin of London Road photographed
William Henry Pilling who had a chemist's shop in
Green Lane. A resident of Liverpool, Mr Pilling
was very interested in and proud of the splendid
civic buildings of his city, as his grandson Harry
Hodgkinson revealed. William (1858–1941)
married Isabella Roe (1854–1919) and their
daughter Ellen became Mrs Hodgkinson. In the
1880s chemists were selling such remedies as
Dinneford's magnesia, Holloway's pills, Floriline
toothpaste, Mexican hair renewer and Perry Davis
pain killer. Coffee and eggs were other
commodities to be bought from the chemist.
'Finest Irish eggs' then cost a shilling a dozen.

Zena and Phyllis Dare, the two sisters who were a popular music hall 'turn' early this century, appeared on the stage of the Empire in Lime Street. They loved velvets, silks and furs which they wore for the song 'Skating'. The Pavilion in Lodge Lane was a variety theatre. By the 1950s the Royal Court in Roe Street near Queen Square concentrated on plays and opera while the Playhouse in Williamson Square was the home of the Liverpool Repertory Company. The Shakespeare in Fraser Street also showed variety acts. Music hall started in public houses but became so popular that separate buildings like the Star Music Hall were constructed for this kind of entertainment.

Mrs Patrick Campbell, born 13 February 1853, was one of the most famous actresses of her day. She played the first Eliza Doolittle in George Bernard Shaw's *Pygmalion*. Many famous actors and actresses appeared in Liverpool. During the Second World War plays and ballet usually performed only in London came to Manchester and Liverpool where they were enthusiastically received. The first Liverpool theatre was built at the Old Ropery, Fenwick Street, in 1745. Performances were reported in the town's first newspaper which had appeared in 1712.

Woolton Cross in the centre of the village, with an old cottage on the left, 1930. Development here took place in the Georgian and Victorian periods when some fine examples of terraced houses were built in Liverpool by city merchants. The sandstone Woolton Hall dates back to 1704. The Old School is reputedly the oldest elementary school in Lancashire.

Childwall Abbey, seen here in May 1905, is thought to derive its name from a Saxon chief. Long before Liverpool existed, Childwall, recorded in Domesday Book, Roby and Knowsley came into the possession of the Stanley family. The area was a favourite resort of visitors and artists as it retained its natural aspect.

A lithograph of St George's Hall, published by John Shepherd in about 1854. The impressive building housing both a concert hall and new assize courts took fourteen years to complete and was a source of great civic pride. The population of Liverpool rose from 77,000 in 1801 to 685,000 in 1901.

The building of the New Empire theatre, 1950s. The old Alexandra theatre, demolished in 1923, was renamed the Empire and opened two years later. By the 1950s four theatres were flourishing: the Empire in Lime Street; Everyman in Hope Street; Playhouse in Williamson Square; and the Royal Court theatre.

Liverpool Pageant depicting the surrender of Liverpool in the Civil War. On 15 May 1864 during excavations to lay new, larger water pipes in London Road near Commutation Row the remains of the trenches made by Prince Rupert's army at the siege of Liverpool were discovered.

Ornamental Lake, Sefton Park, 1911. The park, designed by Andre and Hornblower, covers 233 acres and is the largest in Liverpool. Opened in 1872, it derives its name from the Earl of Sefton from whom the land was purchased.

A Rolls-Royce Silver Ghost which travelled from Liverpool to Manchester in 1926. Goggles and long mackintoshes were *de rigueur*. Rich owners stood up in their gleaming automobiles to view point-to-point racing, binoculars at the ready. Motoring talk at the time was of the 'Silent Knight sleeve valve engine made by Willeys Overland Crossley Ltd'.

Tram to Dingle, Lime Street and Walton, 1902. Matthew Arnold, poet and critic, died at Dingle in 1888. Long ago Walton was the 'mother parish' of Liverpool, but by the 19th century it had been engulfed by the city.

Dell Bridge and village schools, Port Sunlight, 1904. In 1888 William Hesketh Lever who later became Viscount Leverhulme purchased the creek at Bromborough, where he built a big soap factory and the model town Port Sunlight. Docks, railways, art gallery, church, cottages, library, hotel and open-air swimming pool were all provided.

Men's Social Club and Bowling Green, Port Sunlight, a postcard printed by Lever Brothers, 1910. The Garden City of Port Sunlight covered 220 acres. 'Well-paid, well-housed and working in a well-ventilated factory', employees who faithfully served Lever Brothers for five years became partners.

An experimental boiler house fitted with modern appliances for the reduction of smoke was erected by J. Bibby and Sons in Great Howard Street. The soap manufacturers published details of the 'surprising economic results' in *Bibby's Annual* in summer 1908. Bibbys were obviously conservationists ahead of their time, for in their *Annual* they wrote: 'A few years ago we became aware of the fact that we were sending forth from the four chimneys of our own works a very considerable contribution to the atmospheric pollution of our own city.' They discovered that their boiler capacities were too small. The problem was finding land, for in Liverpool land was mostly leasehold with one person owning the land and another the buildings erected on it. These difficulties delayed proceedings but were eventually overcome and Bibbys were able to construct the boiler house with eleven Lancashire-made boilers fitted with mechanical stokers. The old boilers were scrapped and the change resulted in a weekly saving of 140 tons of coal and a great reduction in smoke emission. This impressed not only J. Bibby and Sons but also the health committee of the city council.

*Mauretania* leaving Liverpool on her maiden voyage, November 1907. A Cunard ship of 31,938 tons, length 762 ft and fitted with Parsons' turbines, she captured the Atlantic Blue Riband as the fastest liner until 1929 when the German liner *Bremen* took the honour. *Mauretania* was broken up in 1935.

This stretch of road was treated on 23 May 1907 with improved Dustroyd, Clare's Patent Tar Compo, in the Open Dustlaying Competition. R.S. Clare and Company Ltd of Liverpool was awarded first prize of a 100-guinea trophy and the gold medal of the Roads' Improvement Association.

May Day Parade, 1914. The procession of well-groomed horses and traps is assembled in Lime Street outside the North Western Hotel. This massive seven-storey building with 330 rooms was designed in French Renaissance style by Alfred Waterhouse. It was ideally situated for passengers arriving at Lime Street station. Behind were Lime Street station sheds, one of which in 1862 was the largest in the world.

Lime Street, Brownlow Hill and Mount Pleasant would make a splendid part of the processional route for this May Day Parade but few would realize that in two months, on 28 July, the First World War would begin and rumble on relentlessly until 11 November 1918, claiming many of the young men in this scene.

Processions, travelling circuses, fairs and exhibitions were always part of city life. Folly Fair was held every Easter Monday in the 1700s on land where St George's Hall was later built. There was a wooden windmill on the site and Mr Gibson who kept a tea-house and strawberry garden built an eight-storey folly which was pulled down in 1780.

As time wore on, the fair earned a bad name for debauchery and scandalous behaviour so it was transferred to open fields near London Road. The Lord Mayor's Show in June is now one of the most important events of the year.

This 1920s advertisement based on the purity of Sunlight soap, alongside Monkey Brand, made Lever Brothers world famous. Lifebuoy soap ('cleans and disinfects') was another of their household products. At Port Sunlight the company's fleet delivered oil and tallow, and loaded up with products for transshipment to Liverpool.

'Monkey Brand for mettle and metal.' This advertisement is contemporary with the one above for Sunlight soap. William Lever, son of a wholesale grocer and a brilliant businessman, specialized with his brother and was so successful that he had to build a larger factory at Bromborough near Liverpool.

The Liverpool Transport Strike, 1911. Because of prevailing unrest police reinforcements were required and lorry DC 259 is taking helmeted policemen to various points in the city. Hardship continued, interrupted only by the First World War, throughout the country, leading to the General Strike in Britain in May 1926.

In the 1911 strike the Tramwaymen's Procession is passing the Boundary hairdresser. Nearby is the once-familiar, old, enamelled sign advertising Stephen's ink. Among the tramwaymen are two ladies, possibly suffragettes, who are voicing their support. The right to strike was legalized in Britain in 1824, and in due course the General Strike brought Liverpool Docks to a standstill.

Isle of Man RMS *King Orry* in line with the British fleet at the surrender of the German Navy at 9.30 a.m. on 22 November 1918. 'She did her bit nobly', it was said at the time; she again played her part at Dunkirk in the Second World War, and there she met her end.

Masted barques in Salthouse Dock, 1895. This scene provides a reminder of the 1992 Tall Ships Race which proved a great attraction in Liverpool. Clippers, barques, barquentines, 'masters all', came from different parts of the country, some dressed overall, lining up outside Mersey Marine watched by crowds.

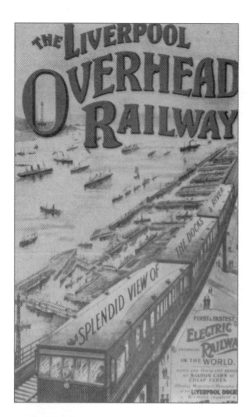

'First and fastest electric overhead railway in the world.' This poster for the Liverpool Overhead Railway appeared in the early 1920s. With this splendid view of the docks and river, the railway under the Mersey, the grand buildings and a trip on the *St Tudno*, I certainly recall Liverpool as an exciting place for a child in 1929. The Marquis of Salisbury formally opened the Overhead Railway on 4 February 1893 and was afterwards entertained to luncheon at the town hall as guest of the lord mayor, R.D. Holt.

'Overhead Railway to view liners and docks.' Pierhead station was the start of a ride popular with both visitors and residents, seen here in about 1927. The white-coated policeman directing traffic was an innovation.

F.C. Bowring was lord mayor of Liverpool in 1926. The chief magistrate became known as lord mayor in 1865. R.D. Holt was the first to have this dignity conferred upon him on 4 August of that year and in recognition he presented a massive silver cup known as 'The Queen's Cup'. In 1872 John Pearson was presented with the gold chain of office 'to be worn by His Worship and all future Mayors'. Liverpool was constituted a city and the first bishop elected in 1880.

The interior of the famous Adelphi Hotel in Ranelagh Place, 1927. In the 1930s bedroom and breakfast cost from 22s 6d a night. Many well-known people have stayed here including Charles Dickens, who had 'an undeniably perfect meal'. He liked the sycamore-panelled walls and rose-coloured carpets. The Imperial and the Washington in Lime Street, Antrim, Regent and the Shaftesbury at Mount Pleasant, the Hanover and Lord Nelson were all well patronized.

Making the Mersey Tunnel, the largest underwater tunnel in the world at that time. Work began in 1925 on what was a most impressive engineering achievement and was completed at a cost of £7 million. Factories, blast furnaces and Lancashire pits underlined the port's importance and brought continuing wealth.

Jacob's biscuit factory shows girls deftly packing the large, glass-lidded square tins in readiness for delivery to grocers' shops, 1930s. Able to view the biscuits through the glass, customers were served directly from the tin.

Castle Street, looking towards the town hall, 1911. Lavish decorations were set up to mark the coronation of George V. Rossi's Minerva looks down on a scene of excitement and gaiety. There was great pride in the British Empire and the achievements of the city of Liverpool which had helped to build that Empire. Crowns, flags and miles of bunting were to be seen all over Liverpool, even in the slum areas where almost every window had a picture of King George and Queen Mary. 'God Bless George V' is almost hidden in this photograph of the decorated tram on its way to Dingle. Alongside is a tram bound for the Pier Head where the other great landmark buildings of the city, not to mention ships in port, would be similarly bedecked.

Cannons were fired on Coronation Day, processions held and treats laid on, particularly for the children and old people. Mugs, dishes and plates, specially made to mark the occasion, eighty-five years later have become decidedly valuable. The Herculaneum factory, Toxteth, Liverpool, was making such wares in 1835.

Huge crowds have assembled for the Tunnel Ceremony in 1934. In the centre front is Queen Mary with King George V on her right making his speech. Queensway was the first Mersey road tunnel between Liverpool and Birkenhead. Herbert J. Rowse was the architect of this impressive undertaking and the principal engineers Sir Basil Mott and J.A. Brodie.

The interior of the Mersey Tunnel, a commemorative postcard issued in 1934. Six ventilation towers, three on each side of the river, brought 2½ million cu. ft of air into the tunnel every minute to counteract petrol fumes. In its making, 1,200 tons of rock were excavated.

The entrance to Queensway roadway tunnel which solved the difficulty of communication between Liverpool and the Wirral. Running from Kingsway to King's Square, Birkenhead, a distance of 2.625 miles, the 36 ft wide roadway provided four lanes of traffic and two smaller branches to serve the dock areas starting at New Quay. In the late 1940s tolls were: cycles 3d; 8 h.p. motor cars 1s plus 2d for each passenger. Over the archway of the Kingsway entrance is a white stone memorial to King George V and Queen Mary who opened the tunnel. Some of its glory was taken by the second Mersey Tunnel sited north of the original. Two miles long and at its deepest 170 ft below high water, this was referred to locally as 'The Mousehole' and finished in 1971.

Hay's Wharf Cartage Company Ltd of Birkenhead and Liverpool waits to load SS *Manxman* with supplies while holidaymakers pour on to the landing stage in 1938. In the distance, steaming off to the Isle of Man, is *Fenella*.

The Pier.

Around 1910 New Brighton pier drew crowds for its dancing, shows and diving displays. Horse-drawn landaus were a common sight, although sand blown from the shore sometimes made it impossible for them to move. Trams advertised Cooper's tea, Bovril, Fry's chocolate, etc., and wagonettes carried passengers to Aquarium Parade, known locally as 'Ham and Egg Parade'. Beneath the pier's wrought-ironwork a bold 'Ferry' sign was displayed.

New Brighton pier actually comprised two adjoining piers, one of which, 560 ft long for use by ferry steamers, was fixed to the landing stage. Iron pontoons supported the stage which rose and fell with the tide. In the 1930s a daytime stroll along the pier cost 3*d*, 6*d* in the evening.

For over a century New Brighton prospered, its beaches crowded with trippers brought by the ferry boats. James Atherton, a Liverpool businessman, purchased 170 acres of heathland on which to build villas. This further developed the attraction of the seaside resort, whose sea water was once described as 'clean as the Mediterranean'. However, by the 1950s, pollution led to crowds diminishing and shops closing.

The pier was not relinquished without a struggle by local people but the enormous expense of making its supports safe was impossible to meet and it was demolished in 1973, two years after the ferry ceased to operate.

The pet stalls held in St John's Market always drew crowds. Even the rain has not deterred shoppers on this particular Saturday in 1934.

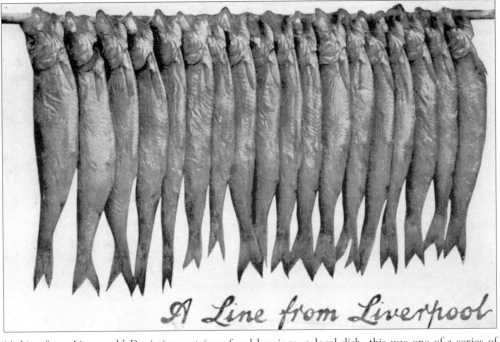

'A Line from Liverpool.' Depicting a string of red herrings, a local dish, this was one of a series of Raphael Tuck's Oilette picture postcards in the early 1900s, popular for sending birthday greetings and messages home.

Manning's butcher's shop at 142 Grange Road, Birkenhead. The 1920 Christmas show featured 'prime porkers' bred on the Duke of Westminster's estates. Hams and pork sausages were specialities. Mr Manning is second from the left, his two sons on the extreme left and right. Mr W. Suett was a butcher at Toxteth in 1956.

Princes Park, Liverpool, 1900. Approached by the fine boulevard Princes Road, it provided a lake, lawns and well-laid-out flower beds. Open-air draughts could be played here.

The Grand National Steeplechase, March 1932. This race was won by Forbra, owned by Mr Parsonage, with Egremont, owned by Mrs Ireland, second. The grandstand at Aintree Racecourse was destroyed by fire on 29 September 1892. Horse-racing was introduced to Liverpool in the mid-18th century.

George VI and Queen Elizabeth, now the Queen Mother, in the royal box at Aintree, enjoying the world's greatest steeplechase, 1937. A hundred years earlier it was known as the Grand Liverpool Steeplechase and run at Maghull. A 1964 survey showed that the largest number of starters was sixty-six in 1929.

The last steam train on the Wirral Railway, 14 March 1948. Hauled by locomotive No. 200, this special conveyed the president of the London, Midland & Scottish Railway, Lord Stamp, for the electrification of the line ceremony. He was accompanied by the lord mayor of Liverpool and the mayors of Birkenhead and Wallasey. They returned to Liverpool in one of the new electric trains.

Liverpool's last tram rolled to the depot, watched by a small, sad crowd in 1957. The first one had run in March 1859. There had always been an extensive system through the city centre and serving suburbs and parks. The Liverpool Tramway *Routes and Service Guide* of 1950, obtainable from Hatton Gardens price 3*d*, gave all details.

The mystery playground at Wavertree was described as 'one enormous field, probably the largest', 1916. Three main roadways passed through it and the annual Liverpool Show was held there in August. Close by were the Botanical Gardens.

Castle Street, which originally led to the Castle of Liverpool, with Hughes' hair cutting saloons left, beneath which is a stationer's shop advertising Swan fountain pens, c. 1919. The Victorians hailed the arrival of the fountain pen in glowing terms: 'They come as a boon and a blessing to men. The Pickwick, the Owl and the Waverley Pen.'

A liner at Prince's Landing Stage, with tug *Alexandra* in the rear, 1920. Liverpool residents and visitors enjoyed watching the great liners come and go, along with other kinds of shipping, on every tide. Moving from docks to warehouses was a never-ending procession of lorryloads of cotton bales, sacks of foodstuffs, etc.

SS *Viking*, a great favourite with crowds at both Fleetwood and Liverpool, 1912. This postcard was produced specially for holidaymakers to send home when postcard collecting was a craze.

The sands at New Brighton with the Tower in the background were unrivalled for watching the passing shipping of Liverpool, 1908. Firm sands and healthy sea-breezes also encouraged families to come for holidays and day trips. Liverpudlians loved the twopenny trip across the Mersey.

The Tower, New Brighton, had a theatre, ballroom, restaurants, other entertainments and a miniature railway within its grounds, c. 1912. For 6d a time four lifts took holidaymakers to the top of the Tower from where there was a good view over the Wirral Peninsula and the whole of Merseyside. New Brighton was one of the first places to embark on tower building following Gustav Eiffel's example in Paris. It was completed in 1898 but had to be demolished in 1921 owing to neglect in upkeep. Although the ground-level building beneath the metal structure was retained as a place of entertainment, this was eventually destroyed by fire in 1969. It was the ferry connection with Liverpool that had enabled New Brighton to grow into a seaside resort attracting the crowds.

*King Orry* ashore at New Brighton where she remained obstinately stuck for some time, 1921. Crowds of interested sightseers flocked to see the huge ship in such an unusual position, particularly as it was 19 August, the peak of the holiday season.

Calderstone Park, Wavertree, covered 94 acres, seen in 1901. The ancient stones which gave the park its name were outside the Menlove Avenue gate. Believed to be the remains of a prehistoric circle, each of the six upright stones had 'cup and ring' markings. In summer Calderstone had an open-air theatre.

The Palm House in Sefton Park, 1912. This structure, over 70 ft high, was erected in 1896. The octagonal-shaped, three-tier building of glass and cast iron, with a central spiral staircase and catwalk, was possibly designed on the lines of its famous counterpart in Kew Gardens. Nearby were a chain of ornamental lakes and a ravine crossed by an iron bridge. With 269 acres of open space it was the most beautiful of the city parks, the first portion of land having been purchased from the Earl of Sefton in 1854 for £264,000. Prince Arthur, third son of Queen Victoria, opened Sefton Park and the New Southern Hospital on a visit to Liverpool in 1872. He stayed at the Grange in Wavertree and newspapers reported that the people of Liverpool 'showed unbounded enthusiasm and loyalty'.

The Aviary, Stanley Park, with a group of children in front, 1918. In the 1950s it was voted 'ranking next to Sefton Park in attractions'. Other popular parks were Allerton, Reynolds, Bowring and Clarke Gardens. The land on which Newsham Park stands was recorded in Henry III's reign.

Liverpool seaman Cecil Forrest Doughty aboard RMS *Franconia* which sailed from Liverpool on a round the world cruise, 1930. White uniform indicated that the vessel had reached the tropics. Mr Doughty survived the Second World War during which, as a gunnery officer, he escorted convoys of ships through the waters of the Atlantic which, in his words, were 'infested with German submarines'. He suffered shrapnel wounds but after the war he continued to sail out of Liverpool to all parts of the world. He eventually retired to the sea front at Knott End near Fleetwood, but his home in Liverpool was near Sefton Park.

Yacht racing off Liverpool, *c*. 1930. There is little mention of this sport as there was no time for pleasure yachts or the organization of regattas; the Mersey was busy with Atlantic liners, cargo vessels and tramp steamers from all parts of the world. There was boxing at the Stadium in St Paul's Square behind Exchange station; the Liverpool Cricket Club ground at Sefton Park; Liverpool Football Club at Anfield and Everton Football Club at Goodison Park. Rugby Union clubs were well represented by Sefton, Waterloo and Birkenhead Park; golf was available at Allerton, Bootle, Childwall, Huyton, Blundellsands, West Derby and Woolton. Speedway racing, roller and ice skating, swimming and tennis were all catered for by the 1950s.

Windsor Woollies, early 1930s. This company, registered in 1926, used their own staff to visit towns and cities as far apart as Liverpool and Eastbourne when new swimming pools were opened. They established a nationwide reputation for quality garments. The girls and children gave mannequin parades like this to show swimwear. Leading mannequin Alys Milner wears the sash.

The Deeside Royals from the Wirral Peninsula, 'a popular attraction at events around the area', 1950. This all-girl Morris dancing troupe of fifteen, trained by Brenda Hill, enlivened carnivals and galas with their beribboned tambourines and were carrying on an ancient tradition.

Illuminated tram car starting from Lime Street, 8 May 1937. This was part of Liverpool's lavish and joyous celebrations for the coronation of George VI.

Crowds have gathered to welcome Liverpool Football Club on their triumphant return after their double achievement of becoming League Champions and UEFA Cup Winners in 1973. Not surprisingly their supporters were wild with joy.

The grave of the 'Childe of Hale', John Middleton, in Hale churchyard. The inscription on the tombstone states that John, a giant, was 9 ft 3 in tall. According to the wife of Victorian writer Thomas Carlyle, Hale was 'the beautifullest village in all England'.

St John's Gardens, a favourite place to read the newspaper on a fine, sunny day, c. 1930. When St John's Church was demolished in 1888 the Corporation used the site to make 33¾ acres of gardens. Statues of famous citizens such as shipowner Alexander Balfour can be seen.

A street off London Road when housewives daily cleaned their doorsteps, using cream or buff 'donkey stones', 1940s. These, made by a small firm near Wigan, were in the shape of a hard block stamped with a donkey. Liverpool Corporation which 'set world standards in housing' created the first slum clearance scheme. At the time of the potato famine in Ireland 30,000 people were driven to cross the Irish sea, which led to overcrowding and city slums. The Speke township, developed in the 1930s, set the pattern for the new towns, providing 72,000 new dwellings. Two further great industrial estates at Kirkby and Aintree, together with that at Speke, provided work for 60,000 people. The first Medical Officer of Health was appointed in 1847.

The London, Midland & Scottish goods depot at Canada Dock was destroyed by enemy action in December 1941. Ten Liverpool men led by goods guard George Roberts had to uncouple wagons in front of a blazing munitions train. Injured signalman Peter Stringer alerted ARP personnel.

This scene following an air raid in 1941 reveals Preesons Row between Redcross Street and James Street, showing the National Bank building on the left in James Street, the Queen Victoria Memorial in Harrington Street and on the right the ruins of St George's Crescent.

Bomb damage to St Michael's Church during a German air raid in May 1941. This is the north view before the tower was demolished. Note Liverpool Cathedral tower in the background.

The Overhead Railway in 1948 with carriage no. 7 at the front. The railway managed to survive the heavy bombing of the city during the Second World War. Viewed from overhead some idea of Liverpool's vast transport trade could be gleaned. Many heavy horses were used to pull loads, well into the 1940s.

One of Sefton Park's ornamental lakes, 1932. The pirate ship was a great attraction. In the background can be seen the statue of Peter Pan created by the sculptor of the one in London's Kensington Gardens. Motor and rowing boats could be hired and during icy winters skating on the lake was allowed.

Exchange station with long, deserted platforms and silent rows of carriages, a portent for the future. From here trains ran to Preston, Blackpool, Leeds, Glasgow, Edinburgh, Manchester and other important destinations. On Tithebarn Street, leading from Exchange Street, was the station entrance, opposite the Exchange Hotel.

Taking up railway lines at Central station, October 1966. Under the Beeching plan some stations were closed and routes changed, resulting in stretches of track becoming redundant. Central station is now part of the Merseyrail underground system capable of providing a faster, more efficient service.

Ranelagh Street indicates its recovery from the Second World War in its new buildings and new fleet of motor buses, 1960s. The name of the street recalls the popular 18th-century Ranelagh Gardens which were on this site, the Adelphi Hotel being erected where once stood the White Horse Tavern.

The first scheduled helicopter service at Liverpool Airport, 1950. The acquisition of Speke Hall estate in 1928 made possible an airport for the city. The opening on 1 July 1933 was celebrated by the Speke Air Pageant which 39,000 Merseysiders paid to watch.

HRH Princess Margaret arriving at the Picton Library for the opening of the Commonwealth Library and Exhibition, accompanied by the lord mayor, Alderman Herbert N. Bewley, 19 November 1959.

In its heyday following its opening in 1879 the Picton could seat over 200 readers under its massive domed roof fitted with a 24-ft diameter skylight. Among its book stock of over a million items covering all subjects were large numbers of encyclopaedias, dictionaries and quick reference books. Over 900 periodicals were subscribed to, some in foreign languages, and its local history department housed deeds and documents relating to the city's long history. These are now held by the Public Record Office. Opening hours in the 1950s were from 9 a.m. to 9 p.m.

Refurbishment, re-stocking and reorganization took place in Liverpool libraries following extensive war damage, but the Picton Library remained an obvious venue in which to greet Princess Margaret and for the holding of this important exhibition. The Picton Reading Room and Hornby Library impressed with its colonnade of Corinthian pillars, frieze and domed rotunda roof. It was the first building in the city to have electric lighting.

Captain Jack E. Ronan on SS *Tynwald* with some young passengers in June 1972, the occasion being to commemorate the first sailing of the year from Liverpool to Llandudno. This interesting 2¾-hour sail on Mondays, Tuesdays, Thursdays and Sundays proved very popular. A day excursion cost only 22s 6d, ordinary return 32s, children half price. Season tickets which offered unlimited travel for £11 5s had risen to £40 by 1977. Luncheons, teas and refreshments were available on board. Tickets could be obtained from the booking office alongside the steamer and from Thomas Orford & Son, India Buildings, 40 Brunswick Street, Liverpool. Between June and August 1968 passengers could travel out by steamer and return by Crosville Express Motor Services.

This was in stark contrast to Captain Ronan's experience fourteen years earlier as mate aboard the coal-burning steamship *Conister I*, affectionately referred to as the 'Conny'. She was already rather old and the nine crewmen were always grimy. She did not have radar or a cook so it was a case of getting ashore whenever possible to buy food and finding a place for your pot on the galley stove. Although this was a culture shock to some crew members coming from deep-water ships, it was a necessary step on the promotion ladder.

HM Queen Elizabeth and the Duke of Edinburgh came to Liverpool (with the Right Reverend David Sheppard closest to the camera) for the consecration of the Anglican cathedral, 21 June 1977. During the difficult years of the 1970s and '80s in a declining economic climate the close co-operation and friendship between Liverpool's two bishops, the Right Reverend David Sheppard of the Anglican cathedral and the late the Most Reverend Derek Worlock of the Roman Catholic cathedral did great good. Both men had the good of the city and its inhabitants so much at heart. It is interesting to note that Bishop David has a painting hanging in Liverpool Town Hall, a first study of the Anglican cathedral, which he presented to the lord mayor. This building, expressed in 20th-century Gothic architecture, was started in 1904 but was not completed until seventy years later. Situated on a wooded slope and visible for miles, it is the largest Anglican cathedral in the country.

During the Second World War work on both of Liverpool's great cathedrals had to be postponed, but new plans were considered after the cessation of hostilities. The Roman Catholic cathedral, also on high ground, was originally planned as a building that would be second only to St Peter's in Rome. In 1960 Sir Frederick Gibberd designed a cathedral cylindrical in shape with a cone-shaped roof topped by a coloured glass tower and artists John Piper and Patrick Reyntiens designed the stained-glass windows in the Roman Catholic Metropolitan Cathedral, which was consecrated in 1967.

# ACKNOWLEDGEMENTS

The Architects' Department of Liverpool City Council; Elsie Ayrton; the Brown, Picton and Hornby libraries; City of Liverpool Museums; City of Liverpool Public Libraries; City of Liverpool Public Relations Office; the late Mr C.F. Doughty; Naomi Evetts; Cliff Hayes; the late Clement Houghton; the late Harry Hodgkinson; Isle of Man Steam Packet Company; Denise Kelly; Lancashire Life; Liverpool City Council Engineers' Department; Liverpool Daily Post and Echo Ltd; Liverpool Libraries and Information Service; Liverpool Record Office; Merseyside County Council; Merseyside Tourism Office; Don Potter; Captain J.E. Ronan; Ron Severs; D. Stoker.

# BRITAIN IN OLD PHOTOGRAPHS

# Senedd

Adeilad Senedd Cymru a ddyluniwyd gan
Richard Rogers, yng ngeiriau Trevor Fishlock
a thrwy ffotograffau Andrew Molyneux.
Cyfieithiad gan Rhys Iorwerth.

GRAFFEG

# Trevor Fishlock

# Andrew Molyneux

Yn awdur ac yn ddarlledwr, bu Trevor Fishlock yn gweithio i'r *Times* yng Nghymru yn y 1970au ac i'r un papur yn India ac yn Efrog Newydd maes o law. Bu'n newyddiadura mewn trigain o wledydd fel gohebydd tramor cyn dod yn bennaeth ar swyddfa'r *Daily Telegraph* ym Moscow. Mae'n un o enillwyr gwobr Gohebydd Rhyngwladol y Flwyddyn yng Ngwobrau'r Wasg ym Mhrydain.

Bu'n gyflwynydd ac yn awdur 130 o raglenni teledu ar fywyd, hanes a thirlun Cymru, gan gynnwys y gyfres boblogaidd *Wild Tracks* a enillodd iddo wobr Bafta. Cyhoeddodd lyfrau am Gymru, India, America a Rwsia. Mae'r llyfr *Conquerors of Time* yn olrhain hanes mordeithiau byd-eang yn y bedwaredd ganrif ar bymtheg, a chomisiynwyd y gyfrol *In This Place*, sy'n adrodd hanes Cymru, i ddathlu canmlwyddiant Llyfrgell Genedlaethol Cymru. Mae'n hoff iawn o ddŵr y môr, a hwyliodd dros yr Iwerydd ddwywaith, ynghyd â thros Fôr y De o Cape Town i Melbourne. Mae'n byw yng Nghaerdydd.

Ganwyd Andrew yng Nghaerdydd ym 1963 a threuliodd flynyddoedd ei blentyndod yn cludo stand drithroed Colin, ei dad, o le i le hyd y wlad. Ar ôl cael dyrchafiad a dod yn gynorthwyydd amser llawn i Colin, dysgodd bopeth sydd i'w wybod am ffotograffiaeth gan yr athro gorau posibl. Aeth yn ei flaen i weithio fel cynorthwyydd i rai o ffotograffwyr corfforaethol gorau'r Unol Daleithiau.

Ar ôl dychwelyd adref, daeth yn enwog fel ffotograffydd corfforaethol creadigol, gan weithio i sawl un o 100 cwmni uchaf FTSE. Dros y deng mlynedd ar hugain diwethaf, mae wedi teithio i bedwar ban byd yn tynnu lluniau.

# Ar ran y bobl

Senedd Cymru yw'r corff sy'n cael ei ethol yn ddemocrataidd i gynrychioli buddiannau Cymru a'i phobl, i ddeddfu ar gyfer Cymru ac i ddwyn Llywodraeth Cymru i gyfrif. Mae gan Senedd Cymru drigain o Aelodau etholedig, a dyma'r corff cyfatebol yng Nghymru i senedd y Deyrnas Unedig yn San Steffan. Mae'r pleidleiswyr yn ethol Senedd Cymru bob pum mlynedd.

Mae Llywodraeth Cymru yn gorff ar wahân i Senedd Cymru, a hi yw'r Llywodraeth ddatganoledig i Gymru.

Y Llywodraeth yw Prif Weinidog Cymru, gweinidogion Cymru, y Cwnsler Cyffredinol a'r dirprwy weinidogion. Mae pymtheg ohonynt i gyd. Mae'r Llywodraeth yn gweithio i wella bywydau pobl Cymru ac yn cael ei chynorthwyo gan weision sifil yn y prif feysydd datganoledig, sef iechyd, addysg a'r amgylchedd. Mae gan y Llywodraeth swyddfeydd ym Merthyr Tudful, Aberystwyth a Chyffordd Llandudno.

O'r gair Lladin 'synodus' y daw'r gair 'senedd'. Mae'n air sy'n disgrifio pobl yn dod ynghyd, er bod yr ystyr wedi newid rhywfaint dan ddylanwad y gair Lladin 'senatus', sef cyngor o henuriaid.

# Cynnwys

# 01 Cyflwyniad

Ei beiddgarwch sy'n rhoi ei gosgeiddrwydd i'r Senedd yn y Bae. Hynny, ynghyd ag ymdeimlad o ofod ac eglurder go ryfeddol. O dan strwythurau a chromliniau clasurol, cawn ein denu ar hyd rhodfeydd eang y tu mewn a'r tu allan i'r adeilad hynod hwn. Lle agored ydyw yng ngwir ystyr y gair: lle sy'n eich croesawu â'i freichiau ar led.

Dyma gartref Senedd Cymru, a gâi ei hadnabod yn wreiddiol fel Cynulliad Cenedlaethol Cymru. Dyma hefyd dirnod gwleidyddol a phensaernïol sydd wedi deillio o esblygiad y wlad ac o dwf a dyheadau'r genedl. Senedd sydd wedi torri tir cwbl newydd yn hanes Cymru yw hon.

Wrth ymgiprys â'i gilydd i ddylunio'r adeilad, rhaid oedd i'r penseiri gofio am hunaniaeth ddiwylliannol a thiroedd cynhenid Cymru. Yn ei gyflwyniad i'r briff, pwysleisiodd yr Arglwydd Callaghan fod 'cyfle i fynegi'r cysyniad ... o Gynulliad cynrychioladol a hwnnw'n gwrando ar genedl fechan ddemocrataidd ac yn ei harwain'. Y gobaith oedd y byddai'r dyluniad yn dod yn symbol amlwg, cyfarwydd a mawr ei barch o Gymru, a hynny ym mhob cwr o'r byd.

Cafodd sylwadau'r Arglwydd Callaghan gryn ddylanwad. Defnyddiodd tîm buddugol Richard Rogers y geiriau'n ysbrydoliaeth ac yn anogaeth. Dan arweiniad Ivan Harbour a'r Arglwydd Rogers ei hun, bwriwyd ati i greu gofod i bobl ymgynnull, a hynny mewn adeilad ymarferol ac ynddo le syml ac egnïol i roi democratiaeth ar waith. Drwy fod yn agored ac yn hygyrch, y nod oedd datgan delfryd o arweinwyr sy'n gwrando mewn lle llawn pobl.

Mae'r Senedd yn sefydliad cenedlaethol, ond yn llwyddiant artistig ar ben hynny. Yn ei cheinder, mae rhythm. Mae'n perthyn i'r hyn sydd o'i hamgylch. Y tu ôl i wyneb gwydr yr adeilad, mae cromlin y to'n creu portico sy'n ymddangos yn rhan o'r wybren ei hun. Hyd y nenfwd, gwelwn donnau cerfiedig sy'n dyrchafu'n golygon tua'r entrychion. Mae'r cyfuniad o wydr, dur, llechi a phren i gyd yn cyfrannu at greu drama llawn gofod a golau, a hynny mewn man lle daw holl leisiau Cymru ynghyd.

Yn y llyfr sylwadau, mae edmygedd syfrdan sawl ymwelydd i'w weld yn glir.

Mynnodd y Cynulliad y dylai'r adeilad fod yn un effeithlon a gwyrdd, a hwnnw'n arbed ynni. Mae'r systemau dŵr, gwresogi, oeri ac awyru i gyd yn perthyn i'r unfed ganrif ar hugain. Felly hefyd y goleuo a'r tanwydd. Y gair mawr yw naturiol, a'r pwyslais ar olau dydd ac awyr iach.

Y Senedd ym Mae Caerdydd – adeilad mentrus, clasurol a gwir Gymreig.

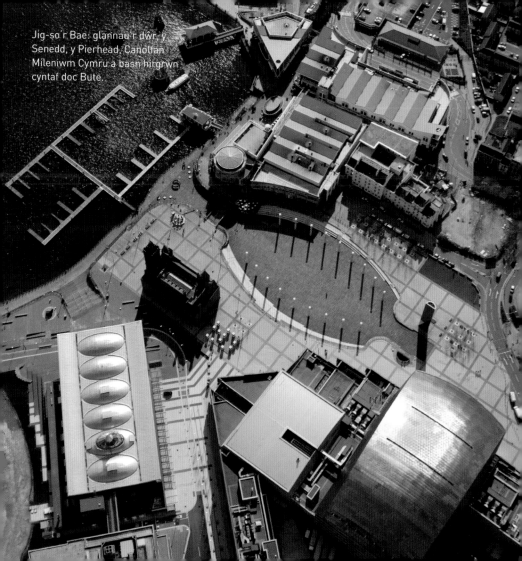

Jig-so'r Bae: glannau'r dŵr, y Senedd, y Pierhead, Canolfan Mileniwm Cymru a basn hirgrwn cyntaf doc Bute.

Ar y llawr uchaf, mae'r twndis ysblennydd o goed cedrwydd sy'n troelli tua'r nenfwd yn ein hatgoffa o fan cyfarfod. Fel coeden ar sgwâr y pentref, o bosibl. Chwareus o athrylithgar oedd rhoi i'r twndis goler o wydr, gan adael i ymwelwyr sbecian i lawr i'r Siambr oddi tanynt. Siambr ddigidol a modern yw hon, lle gall Aelodau'r Senedd bleidleisio mewn un ennyd electronig.

Yn sicr ddigon, byddai'r awyrgylch glòs sydd yma wedi bod wrth fodd Winston Churchill, a honnodd unwaith fod siambr fechan ac ymdeimlad o agosrwydd yn anhepgor er mwyn cynnal trafodaethau seneddol o bwys.

Yn hanes Cymru, mae'r Senedd yn fan cychwyn ac yn fan gadael, yn ddiwedd ar un siwrnai ac yn ddechrau ar un arall. Un o amcanion y lle bendigedig hwn yw annog pobl i ysgwyddo cyfrifoldeb mewn ffordd ehangach. Mae hynny'n deillio o'r hunan-barch sydd ar gynnydd ledled y wlad. Beth bynnag sy'n mynd rhagddo yn y lle hwn, rhaid iddo gyflawni'r nod a oedd yn sail i greu'r Senedd yn y lle cyntaf. Yn sgil hynny, bydd penderfyniadau'n cael eu rhoi fwyfwy yn nwylo pobl Cymru.

Ychydig flynyddoedd yn ôl, prin y byddai modd breuddwydio'r olygfa sydd o'n blaenau heddiw.

Gobeithion a dyheadau'n unig oedd y Senedd a ddaeth yn ganolbwynt i'r gweddnewid hynod a fu ym Mae Caerdydd.

Canlyniad tyngedfennol refferendwm datganoli 1997 a roddodd ddechrau ar y cyfan. Roedd rhaglith Deddf Llywodraeth Cymru 1998 mor glir ag y gallai fod: Bydd Cynulliad i Gymru.

Y flwyddyn wedyn, agorodd y Frenhines y Cynulliad Cenedlaethol mewn siambr dros dro ym mloc gweinyddol Tŷ Crughywel – Tŷ Hywel erbyn hyn. Yn 2000, daeth y gwaith adeiladu i ben ar forglawdd Bae Caerdydd. Morglawdd oedd hwn a gronnai aberoedd afonydd Taf ac Elái gan foddi glannau a fflatiau llaid cefngrwm Caerdydd o dan lyn dŵr croyw 500 erw. Yn 2004, codwyd llenni llwyfannau Canolfan Mileniwm Cymru: canolfan gelfyddydol, operatig a cherddorol o'r iawn ryw. Ddwy flynedd yn ddiweddarach, daeth y Frenhines i agor y Senedd gan roi darn olaf y jig-so yn ei le a chwblhau'r cilgant o adeiladau sy'n sefyll ar ochr ddwyreiniol glannau'r dŵr yn y Bae.

Ar wahân i'w diben cenedlaethol a gwleidyddol, mae'r Senedd yn lle sy'n denu ymwelwyr. Ar ei llwyfan o lechi'r mynydd, mae'n wynebu'r gorwel a gwyntoedd y de-orllewin. Mae'n anadlu'r môr a'r awyr. O'r ardal ymgynnull yn nhu blaen yr adeilad, a thrwy'r waliau grisial, mae'r olygfa'n agor ar Fae Caerdydd, Trwyn Penarth, eglwys Awstin Sant a'r morglawdd. A'r tu hwnt i hynny, dacw donnau Môr Hafren yn y pellter.

Mae hyn yn gweddu i'r dim. Yng ngolwg y môr, mae cyfle i fyfyrio. Gwlad ar yr Iwerydd yw Cymru a chanddi draddodiad morwrol hir. Yn wir, dŵr hallt sy'n rhoi iddi dri chwarter ei ffiniau. Mae'r Senedd yn sefyll mewn llecyn enwog lle daeth y diwydiant glo a'r cefnfor ynghyd. Yma y mae gwreiddiau dinas a hanes. Ac o'r pentir hwn y mae Cymru wyneb yn wyneb â'r byd.

Ochr yn ochr ond ganrif ar wahân: adeilad y Pierhead a godwyd ym 1897 a'r Senedd a godwyd yn 2006, urddas Fictoraidd a gofod modernaidd yn creu drama bensaernïol.

Yn dyst ar lannau'r dŵr: adeilad y Pierhead a thro ar fyd. Morglawdd Bae Caerdydd ym mhen uchaf y llun; Tŷ Hywel, y Senedd a mynedfa'r hen Ddoc Dwyreiniol ar y chwith; Canolfan Mileniwm Cymru; mynedfa a basn y Doc Gorllewinol; Gwesty Dewi Sant yn y canol; a ffordd osgoi Butetown yn croesi afon Taf yn y gornel dde uchaf.

# 02 Rhywfaint o gefndir

Byddai strwythur gwleidyddol newydd Cymru yn ddechreuad yn ogystal ag yn adfywiad. Dyna a bwysleisiai'r briff a roddwyd i benseiri'r Senedd. Gwelwn yn sicr draddodiad o fwrw ati o'r newydd yn wyneb pob anhawster. Mae dyfalbarhad, dycnwch a diwygio yn eiriau sy'n perthyn i hanes Cymru ers dros 1,600 o flynyddoedd.

Mae gwreiddiau Cymru a'r Gymraeg i'w canfod yn y cyfnod wedi i'r Rhufeiniaid adael Prydain yn ôl yn y bedwaredd ganrif. Erbyn y seithfed ganrif, galwai'r bobl eu hunain a'u cydwladwyr yn Gymry. Tarddai'r enw 'Welsh' yn yr un modd o'r gair Sacsonaidd am ddieithriaid neu estroniaid. Ymhen canrif, roedd y brenin Offa o Loegr wedi codi'r clawdd a roddodd i Gymru ei ffin ddwyreiniol. Pan aeth Hywel Dda ati i gydgyfnerthu holl gyfreithiau'r Cymry yn y ddegfed ganrif, roedd yn arwydd digamsyniol o genedligrwydd y wlad.

Llwyddodd y Normaniaid i oresgyn Lloegr ac iseldir Cymru mewn dim o dro, ond bu'n ddwy ganrif arall cyn iddynt dawelu brodorion y mynyddoedd. Yn ystod y cyfnod hwn, ffynnodd diwylliant tywysogion Cymru. Tua diwedd yr unfed ganrif ar ddeg, bwriodd mynach ati i gasglu un ar ddeg o chwedlau hynod y Mabinogi oddi ar dafodau'r cyfarwyddiaid

a'u rhoi ar gof a chadw mewn inc.

Taniodd Owain Glyn Dŵr ymwybod y genedl yn ei wrthryfel yn erbyn rheolaeth Lloegr, a thyrrodd pobl o bob cwr o'r wlad i'w gefnogi. Cyrhaeddodd ei frwydr benllanw ym 1404–5 cyn i wydnwch y Saeson ei drechu. Ymhen canrifoedd, deuai'n arwr cenedlaethol.

Yn sgil cyfreithiau Harri VIII ym 1536 a 1542, cyfunwyd Cymru a Lloegr yn un endid cyfreithiol. Bwriwyd ar ben hynny mai Saesneg fyddai iaith y llywodraeth. Anfonodd Cymru ei Haelod Seneddol cyntaf i Lundain ym 1542, ac ar adeg dyngedfennol i'r iaith, llwyddodd ysgolheigion i alw am ddeddf ym 1563 a orchmynnai gyhoeddi fersiwn Gymraeg o'r Beibl. Yng nghyfieithiad William Morgan ym 1588, tarddodd ffrwd ieithyddol a llenyddol a fyddai'n llifo am ganrifoedd. Erbyn y 1730au, teithiai athrawon cylchynol Griffith Jones o fan i fan yn dysgu miloedd o deuluoedd i ddarllen.

Prin fod yr un dref yng Nghymru'n ddigon mawr yn y ddeunawfed ganrif i gynnal carfan o awduron a meddylwyr. Oherwydd hynny, ffynnodd creadigrwydd llenyddol yn Llundain lle byddai criwiau o Gymry'n ymgynnull i ddadlau ac i ddysgu. O'r 1760au, roedd Richard Price, gwleidydd ac athronydd Presbyteraidd

o Langeinor, Morgannwg, yn ffigur amlwg yn y mudiad rhyddfrydol. Plediai hefyd achos yr Americanwyr yn eu brwydr am annibyniaeth a hawl pob cymdeithas sifil i'w llywodraethu'i hun.

Wedi'r 1840au, arweiniodd ymdeimlad cryfach o hunaniaeth Gymreig at ymgyrchoedd yn galw am greu sefydliadau cenedlaethol. Rhoddodd hynny hwb newydd i lenyddiaeth a newyddiaduraeth Cymru, ac i'r diwydiant cyhoeddi yn ei dro. Daeth 'Hen Wlad fy Nhadau', a gyfansoddwyd gan Evan a James James ym Mhontypridd ym 1856, yn anthem genedlaethol. Gydag arian o Gymru, adeiladwyd prifysgol yn Aberystwyth ym 1872. Sefydlodd yr Eisteddfod Genedlaethol hithau ei hun yn brif ŵyl lenyddol y wlad. A bwrw gwreiddiau hefyd fu hanes Prifysgol Cymru ym 1893, Undeb Rygbi Cymru ym 1899, y Llyfrgell Genedlaethol ym 1907 a'r Amgueddfa Genedlaethol ym 1908.

Cryfhau wnaeth gafael Siartiaeth, rhyddfrydiaeth a sosialaeth yng Nghymru. Yn sgil y penderfyniad ym 1867 i ddiwygio'r drefn bleidleisio, cafodd ffermwyr a gweithwyr gorthrymedig lais. Gwelwyd dylanwad ymneilltuaeth ar wleidyddiaeth a chymdeithas yng Nghymru pan etholwyd Henry Richard, yr anghydffurfiwr, yn Aelod Seneddol Rhyddfrydol ym 1868. Bu gan y blaid honno fwyafrif

seneddol yng Nghymru tan 1922. Ac wrth i Lloyd George gamu i'r llwyfan yn y 1890au, cryfhaodd yr ymdeimlad yng Nghymru o gydraddoldeb gwleidyddol â Lloegr.

Cyfrannodd sgiliau a dyfeisgarwch y Cymry yn sylweddol at ehangu diwydiannau ac arbenigedd Prydain. Roedd dwy ran o dair o bobl Cymru yn byw yn ardaloedd diwydiannol Morgannwg a Sir Fynwy. Yn y trigain mlynedd ar ôl 1851, llifodd 360,000 o siaradwyr Cymraeg o gefn gwlad i'r cymoedd er mwyn ymuno â'r rhuthr am lo. Ochr yn ochr â mewnfudwyr o Loegr, Iwerddon, yr Eidal a thu hwnt, cafodd cymdeithas gwbl hynod ei chreu.

Enillodd y Blaid Lafur bump ar hugain o'r un ar bymtheg ar hugain o seddi a neilltuwyd i Gymru yn etholiad 1945. O'r cyfnod hwnnw hyd at y 1960au, ar faterion diwydiannol a chymdeithasol y pendiliai'r rhan fwyaf o ddadleuon gwleidyddol y wlad. Fel Lloyd George gynt, roedd Aneurin Bevan a James Griffiths yn amlwg iawn wrth i'r gwaith fynd rhagddo i sefydlu'r wladwriaeth les.

Penderfynodd Winston Churchill greu adran i Gymru yn y Swyddfa Gartref ym 1951. Cafodd Caerdydd ei henwi'n brifddinas Cymru bedair blynedd yn ddiweddarach.

Ym 1964, cyhoeddodd Harold Wilson y byddai'n creu swydd Ysgrifennydd Gwladol Cymru a phenodwyd James Griffiths i gyflawni'r dyletswyddau hynny. Ymhen blwyddyn, rhoddwyd cydnabyddiaeth i undod tiriogaethol Cymru yn sgil agor y Swyddfa Gymreig, tra aeth yr undebau llafur ati i sefydlu TUC Cymru ym 1973. Ar yr un pryd, roedd Caerdydd yn dal i dyfu fel canolfan wleidyddol.

Dangosodd cyfrifiad 1961 fod nifer y siaradwyr Cymraeg yng Nghymru wedi gostwng yn sylweddol, a hynny i ddim ond 26 y cant o'r boblogaeth. Dyna un o'r ffactorau a sbardunodd ymgyrchoedd iaith y 1960au a'r 1970au. Yn sgil deddfwriaeth, arferion, arwyddion, dogfennau a hysbysebion, bu tro ar fyd dros y deugain mlynedd diwethaf. Mae i Gymru bellach wedd gyhoeddus ddwyieithog gyda masnachwyr, sefydliadau, banciau, siopau a mentrau eraill i gyd yn cyfrannu at hynny. Cynyddu'n arw wnaeth y galw am ysgolion dwyieithog. Cryfhau hefyd fu hanes darlledu yn Gymraeg. Ym 1977, sefydlwyd Radio Cymru a Radio Wales yn orsafoedd ar wahân ar donfeddi'r BBC. Lansiwyd S4C ym 1982. Mae'r cyfryngau drwyddynt draw wedi ysgogi ac wedi adlewyrchu datblygiadau yng ngwleidyddiaeth Cymru. At hynny, mae gan y cnewyllyn o haneswyr yn y wlad bellach gyfrwng i annog diddordeb ehangach yng Nghymru a'i gorffennol, ynghyd â chyfleoedd i ymateb i'r diddordeb hwnnw.

Gwrthododd Cymru gynigion ar gyfer datganoli ym 1979. Parhau wnaeth y dadlau. Erbyn y referendwm a gynhaliwyd ym 1997, roedd llywodraeth boblogaidd Llafur Newydd a nifer helaeth o bobl ifanc y wlad yn cefnogi sefydlu Cynulliad Cenedlaethol. Ar ôl ymron ugain mlynedd o fod yn rhan o'r Undeb Ewropeaidd, roedd cyd-destun gwleidyddol datganoli wedi newid. Roedd y ffaith bod y glowyr wedi'u trechu yn streic chwerw 1984–5 hefyd wedi darbwyllo pobl fod angen tro ar fyd. Gyda gogwydd o 30 y cant, pleidleisiodd mwyafrif o 6,721 o blaid datganoli. Golygai hynny sefydlu Cynulliad i Gymru a chanddo bwerau cyfyngedig. Cyfarfu'r Cynulliad hwnnw am y tro cyntaf ym 1999. Erbyn 2006, roedd Deddf Llywodraeth Cymru wedi rhoi i'r Cynulliad bwerau deddfu a arweiniodd at gymeradwyo Mesur cyntaf y Cynulliad Cenedlaethol ym mis Mai 2008. Hon oedd y gyfraith gyntaf i'w phasio yng Nghymru ers dyddiau Hywel Dda yn y ddegfed ganrif.

1X
1999–2009

Y degawd cyntaf:
nodi carreg filltir
ddemocrataidd.

# 03 Y ddinas gyntaf

Ei thwf mawr yn oes Fictoria a arweiniodd at sefydlu Caerdydd yn ddinas gyntaf Cymru. Erbyn diwedd yr ugeinfed ganrif, roedd hi'n brifddinas Ewropeaidd ac yn ganolfan i lywodraeth, busnes ac addysg. I'r fan hon y trôi golygon y genedl. Ar drothwy'r unfed ganrif ar hugain, roedd yn gartref amlwg i Senedd Cymru.

Caer ar afon Taf: dyna darddiad yr enw. Yn ôl yn y ganrif gyntaf, cododd y Rhufeiniaid gaer o bren ar lannau'r afon er mwyn diogelu'r llecyn croesi. Erbyn y bedwaredd ganrif, roedd yno waliau newydd yn amgylchynu naw erw o dir. Ym 1081, gorchmynnodd Wiliam y Concwerwr godi amddiffynfa ochr yn ochr â'r meini Rhufeinig, cyn i lywodraethwr Normanaidd Caerdydd fwrw ati ganrif yn ddiweddarach i godi'r gorthwr deuddeg ochr o galchfaen a welwn heddiw.

Poblogaeth o ryw 2,000 o drigolion oedd gan Gaerdydd am y rhan fwyaf o'r 750 o flynyddoedd rhwng goresgyniad y Normaniaid a datblygiadau mawr oes Fictoria. Ar wahân i grafangau'r Pla Du, ymosodiadau Owain Glyn Dŵr a chythrwfl y Rhyfel Cartref, tref ddigon tawel a di-nod oedd hon. Bodlonai'i phobl ar fasnachu ŷd, menyn, defaid a halen gyda'u cymheiriaid ym Mryste a Gwlad yr Haf.

Roedd gwir dynged Caerdydd yn dal i aros amdani yn y llosgfynydd diwydiannol a oedd ar fin ffrwydro. Blwyddyn nodedig oedd 1798 pan ddaeth meistri haearn Merthyr Tudful i ben â gwaith adeiladu camlas bum milltir ar hugain o hyd i aber afon Taf. Anfonwyd badau ar hyd y gamlas yn drymlwythog o haearn, ac yn gynyddol felly, o lo. Yn y 1820au, dangosodd tirfesuriadau i ail ardalydd Bute fod yno gyflenwadau anferth o lo, a chyfoeth yn sgil hynny, yn gorwedd o dan ei ystadau yn y de. Gwelai gyfyngiadau'r gamlas, a bwriodd ati i adeiladu ei ddoc mawr enwog a fyddai, erbyn 1839, yn allforio haearn a glo wrth y tunelli.

Ym 1851, penderfynodd y Morlys mai glo stêm Cymru fyddai'n gyrru llongau rhyfel newydd Prydain. Glo oedd hwn a gynhyrchai wres neilltuol o uchel a phrin oedd y mwg a ddeuai ohono i dduo'r gorwel. Yn rhannol yn sgil penderfyniad y Llynges, datblygodd marchnad fyd-eang am y glo hwn ac agorodd teulu Bute ragor o ddociau ym 1859, 1874 a 1877. Erbyn 1860, dramor yr âi tair rhan o bump o holl lo Cymru. Yn wir, roedd y gair 'Cardiff' ei hun ar y cargo yn ddigon i sicrhau prisiau uwch.

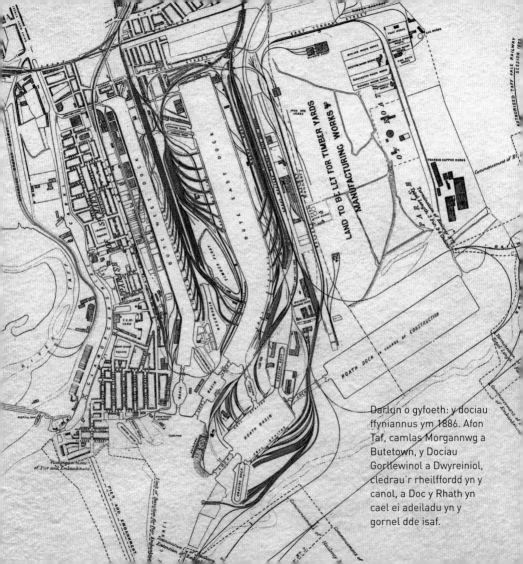

Darlun o gyfoeth: y dociau ffyniannus ym 1886. Afon Taf, camlas Morgannwg a Butetown, y Dociau Gorllewinol a Dwyreiniol, cledrau'r rheilffordd yn y canol, a Doc y Rhath yn cael ei adeiladu yn y gornel dde isaf.

Mwg a môr: llongau'r glannau'n aros i lwytho glo yn y Doc Gorllewinol o dan adeilad y Pierhead yn y 1930au.

Ddydd a nos, yn ôl ac ymlaen yr âi'r trenau glo. Tyfodd yr iardiau trefnu'n fwy ac yn fwy wrth i Gaerdydd a'r meysydd glo ddod yn ganolfan ynni i'r holl fyd. Yng nghymoedd y Rhondda y ceid y cloddio prysuraf ar wyneb daear. Rhwng 1851 a 1901, chwyddodd poblogaeth Caerdydd o 20,000 i 160,000, a'r twf anhygoel hwnnw a arweiniodd at fedyddio'r dref yn 'Chicago Cymru'. Roedd y glo'n gwarantu cyflogau a chyffro, a rhoddai ddewis arall i'r rheini a ystyriai ymfudo dros yr Iwerydd. Bellach, roedd gobaith i bobl a theuluoedd Cymru, a gobaith i Gymreictod yn ei sgil. Ym 1886, agorwyd y Gyfnewidfa Lo enfawr yng Nghaerdydd. Ym mhrysurdeb di-baid y fan hon y byddai masnachwyr yn pennu holl brisiau glo Prydain a'r byd. Yma hefyd, ym 1907, y llofnodwyd y siec gyntaf erioed am filiwn o bunnau, sef tua £90 miliwn yn arian heddiw.

Ym 1898, cytunodd Cyngor Caerdydd y byddai'n talu £160,000 i drydydd ardalydd Bute am ymron drigain erw o dir ym Mharc Cathays. Yn y fan hon y codwyd y ganolfan ddinesig harddaf ym Mhrydain. Safai Neuadd y Ddinas, campwaith baróc y dylunwyr Lanchester, Stewart and Rickards, yn adlewyrchiad o hyder yr oes ac yn batrwm o adeilad Edwardaidd urddasol. Gerllaw, safai'r Llysoedd Barn, yr Amgueddfa Genedlaethol, Neuadd y Sir a Choleg y Brifysgol. Adeiladau mawreddog oedd y rhain, wedi'u codi â cherrig Portland claerwyn wrth i rodfeydd a lawntiau a llwyni rhosod flaguro o'u hamgylch. Lle ceid 'Chicago Cymru' gynt, ym Mharc Cathays bellach y safai 'Washington Cymru'.

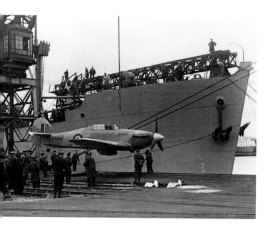

Daeth y Brenin Edward VII i Gaerdydd ym 1905 a rhoi i'r dref statws dinas. Braint fwrdeistrefol oedd hon a oedd yn cadarnhau pwysigrwydd y lle fel prif fetropolis Cymru. Serch hynny, prin y golygai Caerdydd, a Chymru'n enwedig, fawr ddim i farwniaid y llongau a'r glo. Arian, nid arweinyddiaeth gymdeithasol, oedd eu diddordeb pennaf hwy.

Cyrhaeddodd y diwydiant glo ei anterth yng Nghaerdydd flwyddyn cyn y Rhyfel Byd Cyntaf. Dangosai drama Eugene O'Neill, *Bound East for Cardiff*, pa mor gyfarwydd oedd enw'r ddinas wrth iddi gael ei llwyfannu yn yr Unol Daleithiau

ym 1916. Ar ôl y rhyfel, talodd Caerdydd a'r cymoedd yn hallt am eu dibyniaeth ar fwyngloddio ac allforio. Byrhoedlog iawn oedd y ffyniant a welodd y diwydiant llongau. Dechreuodd olew ddisodli glo. Ar ôl 1925, trawyd y cymoedd gan ddirwasgiad economaidd a lwyddodd i dynhau'i afael ar waith, bywyd ac urddas y bobl. Ond a hithau'n ddinas, roedd gan Gaerdydd fomentwm a gwydnwch, a'r gallu i gael ail wynt. Ehangodd yn ganolfan fusnes a siopa, yn gartref i ddiwydiannau ysgafn, ac yn lleoliad amlwg i sefydliadau, colegau a phencadlysoedd gweinyddol.

Penderfynodd teulu Bute adael Caerdydd ym 1947. Yn rhodd i'r ddinas, cynigiwyd y castell ac erwau dirifedi o barciau a rhodfeydd ar lannau'r afon. Ymestynnai rhai o'r rheini cyn belled â Llandaf. Ym 1955, enwodd y Frenhines Gaerdydd yn brifddinas Cymru – ffaith a oedd yn bur amlwg i bawb erbyn hynny. O'r 1960au, tyfodd y ddinas yn ganolbwynt gwleidyddol a gweinyddol. Daeth yn ganolfan i sefydliadau cenedlaethol, addysgwyr, darlledwyr, y cyfryngau a chyrff diwylliannol fel ei gilydd.

Yn sgil ymfudo mewnol, mae gan Gaerdydd gysylltiadau cryfach â gweddill Cymru nag a fu. Gyda'i phrifysgolion, ei hysgol feddygaeth, ei cholegau, ei chyfleoedd cymdeithasol, ei swyddi a'i hadloniant, mae nifer o bobl ifanc wedi penderfynu mai dyma'r lle i astudio, gweithio a byw. Oherwydd hynny, mae Caerdydd wedi dod yn ddinas fywiocach a mwy egnïol, yn fwy atyniadol ac yn fwy Cymreig ei hysbryd. Ym 1998, dywedodd Ron Davies, yr ysgrifennydd gwladol ar y pryd, fod rhesymau grymus dros ddod â'r Senedd i Gaerdydd. Un o'r rheini oedd y ffaith bod Cymru wedi buddsoddi deugain mlynedd yn ei hyrwyddo'n brifddinas y wlad. Ym Mhrydain ac yn Ewrop, mae'r hen gaer ger yr afon yn dal i roi llais i Gymru. Mae Caerdydd, mewn gair, yn lle o bwys.

Ynni ar daith: wageni glo a iard drefnu ger Doc y Rhath ym mis Mawrth 1927.

# Cyndadau Caerdydd

Mae dylanwad un dyn i'w weld yn drwm iawn ar Gaerdydd, yn fwy felly nag ar yr un ddinas arall ym Mhrydain. John Crichton-Stuart yw hwnnw, ail ardalydd Bute a'r gŵr a aeth ati i greu ei chwyldro diwydiannol ei hun wrth droi Caerdydd yn ganolfan ynni i'r holl fyd. Yn sgil y glo, y dociau a'r rheilffyrdd, daeth yn ŵr eithriadol o gyfoethog. Mae chwarter pobl Cymru'n byw ar dir a arferai fod yn eiddo i deulu Bute.

Yr ardalydd dirgel: John Patrick Crichton-Stuart, 1847–1900, un o sylfaenwyr Caerdydd, adeiladwr brwd, arwr y nofel *Lothair* gan Disraeli, a thrydydd ardalydd Bute.

Albanwyr oedd y Butes a briododd â chyfoeth o Gymru a Lloegr cyn dod yn amlwg iawn ym mywyd Caerdydd rhwng 1766 a 1947. Dim ond un ar hugain oed oedd yr ail ardalydd pan etifeddodd ystadau'r teulu ym 1814. Er na fyddai'n ymweld â Chymru'n aml, byddai'n anfon gohebiaeth yma'n ddi-baid, llawer ohoni at ei asiant a oedd hefyd yn glerc y dref yng Nghaerdydd. Yn wir, anfonodd ato chwe llythyr y dydd am bum mlynedd ar hugain, gan orfod arddweud y rhan fwyaf o'r rheini gan ei fod yn fyr iawn ei olwg. Yn y cyfamser, byddai'n ymroi i weithio dros achosion dyngarol a'r mudiad gwrth-gaethwasiaeth. Pan adawai ei gartref yn yr Alban i ymweld â Chaerdydd, byddai'n aros yn ei gastell ac yn gofalu bod ei brydau bwyd yn cael eu danfon draw o westy'r Cardiff Arms.

Mentrodd dalu'r swm anferth o £350,000 i adeiladu Doc Gorllewinol Bute, y prosiect peirianyddol mwyaf o'i fath a welodd y byd. Agorwyd hwnnw ym mis Hydref 1839. Wedi ei farw ym 1848, daeth ei fab, a'r trydydd ardalydd, yn blentyn blwydd oed cyfoethocaf Prydain. Tyfodd yn ŵr swil a myfyrgar, yn gymaint felly nes bod rhywbeth bron yn ddirgelaidd yn ei gylch. Nid etifeddodd fawr o ddiddordeb mewn busnes gan ei dad. Trodd at Babyddiaeth, prynodd dir ym Mhalestina a gwariodd arian mawr ar Gastell Caerdydd. Dan oruchwyliaeth William Burges, yr arlunydd a'r pensaer, gweddnewidiwyd y castell yn gampwaith canoloesol, yn adeilad gwir odidog ac ysblennydd. Dyma oedd uchafbwynt holl yrfa Burges. Saif cerflun o'r ail ardalydd, a thad yr Arglwydd Bute, yn Sgwâr Callaghan. Mae'n wynebu'r gogledd tua'r cymoedd, fel pe bai'n cydnabod ffynhonnell holl gyfoeth y teulu.

Drwy lygad gwylan: adeilad y Pierhead yn teyrnasu dros y Doc Gorllewinol, ar yr ochr chwith.

'Cawsom groeso arbennig gan fy nghyfeillion o Gymru a phob cymorth dan haul.'

Edward Evans, swyddog mordwyo

# Ffarwelio â Chaerdydd

Galwodd y *Terra Nova*, y llong a fyddai'n cludo'r Capten Robert Scott i Begwn y De, yng Nghaerdydd i godi glo ym mis Mehefin 1910. 'Cawsom groeso arbennig gan fy nghyfeillion o Gymru a phob cymorth dan haul,' ysgrifennodd Edward Evans, y swyddog mordwyo ifanc. 'Angori am ddim, glo am ddim, atgyweirio am ddim, a'r cyfan mor hael.'

Bu Scott a'i swyddogion yn swpera gyda gŵyr busnes yn y Royal Hotel ar 13 Mehefin. Serch hynny, llugoer oedd sylwadau'r Capten Oates, y swyddog marchfilwyr a fu farw gyda Scott, wrth gyfeirio yn ei ddyddiadur at ymweliad y pwysigion hyn â'r llong yn Noc y Rhath. 'Daeth y Maer a'i griw ar y llong,' meddai, 'a phrin i mi weld y fath giwed erioed – Sosialwyr Llafur ydynt i gyd.' Ymgasglodd tyrfa enfawr i ffarwelio â'r *Terra Nova* ar 15 Mehefin. 'Sgrechiai miloedd fel pe baent wedi colli arnynt eu hunain,' meddai Tryggve Gran, un o'r Norwyaid yn y tîm. 'Gyrrwyd wageni rheilffordd i deithio dros linell o ffrwydron deinameit bychain, a chyfrannai cannoedd o longau at y sŵn gyda'u chwibanau a'u seirenau.' Chwifiai baner Cymru o'r *Terra Nova* wrth i'r llong hwylio ymaith, a chyfeiriodd Edward Evans at 'y berw mawr yng Nghaerdydd'. Gadawodd Scott y llong yn fuan wedi hynny er mwyn ymgyrchu a chodi rhagor o arian, cyn ailymuno â'r criw yn Seland Newydd.

Uchod: Glo am ddim: yr is-gapten Edward Evans a Chapten Scott ar fwrdd y *Terra Nova* yng Nghaerdydd. Daeth Evans yn enwog ym 1917 wrth frwydro ar HMS *Broke* yn erbyn llongau rhyfel yr Almaen.

Chwith: I ben draw'r byd: llong dri mast y *Terra Nova*. Wedi'i hadeiladu ym 1884, fe bwysai 749 tunnell wrth adael Caerdydd ym 1910 ar ei hail fordaith i'r Antarctig. Suddodd oddi ar arfordir yr Ynys Las ym 1943.

Cyrhaeddodd ef a'i bedwar cydymaith y pegwn ar 17 Ionawr 1912, cyn colli'u bywydau ar y daith yn ôl.

Dychwelodd y *Terra Nova* i Gaerdydd ym 1913 lle'r oedd y Fonesig Scott a'i mab Peter yn disgwyl amdani. Mae'r binacl, a arferai ddal cwmpawd y llong, bellach i'w weld yn y Pierhead. Yng ngherflun Jonathan Williams ar lannau'r dŵr yn y Bae, mae Scott yn tynnu car llusg yn herfeiddiol yn wyneb y lluwchwynt, tra bo wynebau'i gymdeithion i'w gweld yn oer yn yr eira. Mae'r gofeb yn sefyll ger hen loc y doc yr hwyliodd y *Terra Nova* drwyddo wrth ymadael.

# Yr Eglwys Norwyaidd

Mae'r Eglwys Norwyaidd yn atgof o'r cyfraniad pwysig a wnaed gan filoedd o forwyr o Lychlyn a thu hwnt at hanes Caerdydd. Adeiladwyd a chysegrwyd yr eglwys ym 1868 a hithau'n sefyll rhwng y Dociau Gorllewinol a Dwyreiniol. Mae'r gwasanaethau sydd ar gael yno, yr ystafell ddarllen, y papurau newydd o wledydd Llychlyn a'r darluniau o olygfeydd o Norwy yn golygu ei fod yn lle poblogaidd tu hwnt. Bedyddiwyd Roald Dahl, a anwyd yng Nghaerdydd yn fab i frocer llongau o Oslo, yn yr eglwys hon ym 1916. Caewyd y drysau am y tro olaf ym 1974, ond ailgodwyd yr adeilad gydag arian o Gymru a Norwy gan ei droi'n gaffi ac yn fan cyfarfod.

'A dyna ni wedi angori o'r diwedd. Daeth holl ddihirod, cigyddion, teilwriaid, canhwyllwyr ac atgyweirwyr cwmpasau Caerdydd ar fwrdd y llong tan ei bod yn anodd symud ar hyd y dec. A gwŷr y tollau hefyd, y tu ôl i lygaid niwlog, yn yfed diferion olaf y wisgi ac yn aflonyddu ar griw y llong.

Dôi'r mwg i lenwi'n ffroenau o'r llongau stêm oedd wedi'u hangori o'n cwmpas ym mhobman, wrth i ddynion yn eu lifrai swyddogol sgrechian cyfarwyddiadau drwy'r megaffonau. A threnau wedyn yn rhuo dros y pontydd wrth i lwch glo lenwi'r aer. Yng nghanol y cyfan, crwydrai dynion segur i rythu ar lymder yr iardiau a'r mastiau moel, gan dyngu y byddai'n well ganddynt fod yn farw na hwylio mewn llong fel ein llong ni.'

Cyfieithiad o *Voyage of the Parma*, Alan Villiers, 1932.

Darn o Lychlyn: eglwys haearn y morwyr yn ei lleoliad gwreiddiol, 1955.

Y *Parma*, llong ddur bedwar mast a bwysai 3,091 tunnell. Tynnwyd y ffotograff hwn gan Alan Villiers yng Nghaerdydd ym 1932 ar ôl i'r llong gludo cargo o rawn o Awstralia i Brydain.

Doc Gorllewinol Bute, yn gynnar
yn yr ugeinfed ganrif.

# Tiger Bay

Ymledai tre'r morwyr yn Tiger Bay ar hyd strydoedd, sgwariau a llwybrau'r ardal rhwng Stryd Bute a chamlas Morgannwg. Ni wyr neb darddiad yr enw. Roedd un Tiger Bay eisoes yn Llundain ac un arall yn Georgetown, Guyana. Mae'n ddigon posibl mai morwyr Georgetown a ddaeth â'r enw i Gaerdydd. Neu efallai mai disgrifiad ydoedd o natur afreolus a garw'r morwyr, y tafarndai a'r ogofâu opiwm a oedd yn britho'r lle.

O'r 1850au, roedd y rhan hon o Gaerdydd yn denu morwyr rif y gwlith o Lychlyn, Rwsia, gwledydd y Baltig, yr Eidal, Sbaen, Malta, India, Tsieina, Malaya, Yemen, Gorllewin Affrica, Somalia a'r Caribî. Dim ond yn Llundain y ceid cyfran uwch o drigolion o dramor.

Go brin bod yr enw Tiger Bay wedi ymddangos ar unrhyw fap. Butetown oedd yr enw ffurfiol ar yr ardal, a hithau'n filltir sgwâr o faint. Roedd yn ei hanterth rhwng y 1870au a'r 1920au, er i derfysgoedd hiliol rwygo'r ardal ym 1919. Yn amlach na heb, crwydrwyr a phobl ar y cyrion oedd y morwyr, ond ymgartrefodd a phriododd nifer ohonynt yng Nghaerdydd. Yn sgil hynny, cafodd cymuned Gymreig hollol unigryw ac amrywiol ei chreu, cyn i honno wasgaru'n raddol wrth i'r hen ddociau fynd â'u pen iddynt

Uchod: Bonedi, hetiau gwellt, hetiau caled, ynghyd â gwisg morwr a gitâr: cert a cheffyl ym Mae Caerdydd yn y dyddiau fu.

ac wrth i waith ailddatblygu fynd rhagddo o'r 1960au ymlaen. Diflannodd Tiger Bay, ond mae'r hiraeth am fywyd yr oes honno yn dal yn fyw mewn lluniau, tafarndai a hanesion lliwgar.

# 04

## Yr her a'r cysyniad

Cnewyllyn syniad: dim ond ambell amlinell a dot oedd ar fraslun y pensaer Ivan Harbour o'r Senedd. Mae'r adeilad yn codi o lannau'r dŵr ar y dde. Gwelwn y to'n arnofio gyda'r twndis ar y chwith a'r siambr drafod oddi tano.

Roedd cryn waith meddwl gan yr hanner cant a phump o benseiri rhyngwladol a fentrodd roi cynnig ar ddylunio'r Senedd. Gofynnai'r briff am fwy na siambr drafod yn unig. Y nod oedd creu sefydliad gwleidyddol a chynrychioladol cyntaf Cymru, yn dra gwahanol i balas San Steffan. Roedd angen datgan ar ben hynny mai yn yr adeilad hwn y byddai fforwm gwleidyddol newydd y wlad.

Ar y panel beirniadu, dewiswyd pump o gynrychiolwyr o blith y cyhoedd ynghyd â dau gynghorwr pensaernïol. Y cadeirydd fyddai'r Arglwydd Callaghan, y cyn-brif weinidog. Pwysleisiodd ef y byddai etholiadau cyntaf Cynulliad Cenedlaethol Cymru ym 1999 yn ddechrau ar 'gyfnod unigryw yn hanes cyfansoddiadol y genedl'.

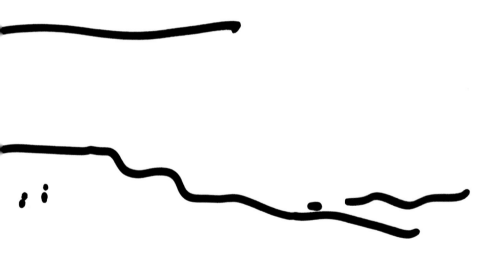

## 'mae'n gwneud y broses ddemocrataidd yn un agored a hygyrch'

Ym mis Hydref 1998, trafododd y panel restr fer o chwe dyluniad, cyn dewis y cysyniad a gynigiwyd gan Bartneriaeth Richard Rogers, sef RSHP erbyn hyn.

Aeth Ivan Harbour, y partner a arweiniai'r prosiect, ati i dynnu'r brasluniau cyntaf o neuadd wydr a honno'n sefyll rhwng y môr a'r awyr. Byddai yno risiau'n arwain o lan y dŵr at blinth, yn ogystal â tho ysblennydd yn cysgodi mannau dymunol y tu mewn a'r tu allan. Dywedodd Harbour y byddai'r adeilad 'wedi'i angori'n gadarn ar lan y dŵr, gan allu datblygu'i hunaniaeth yn annibynnol ar yr adeiladau eraill o'i amgylch ... Mae'r terasau'n creu mannau a fydd yn denu pobl i'r adeilad ... gan wneud y broses ddemocrataidd yn un agored a hygyrch.'

Ysgrifennodd faniffesto hefyd, yn disgrifio'r bwriad o greu adeilad a fyddai:

- Yn symbol o ddemocratiaeth ac yn annog y cyhoedd i gyfrannu at y broses honno
- Yn hygyrch gan fod modd deall y cysyniad yn rhwydd
- Yn rhoi cyfle i weld y Cynulliad wrth ei waith
- Yn creu mannau heb ormod o furiau a choridorau
- Yn cynnwys nodweddion sy'n llesol i'r amgylchedd
- Yn rhad o ran ynni drwy fanteisio i'r eithaf ar olau dydd
- Yn agored ac yn perthyn i'r hyn sydd o'i amgylch
- Yn gysyniad hyblyg sy'n gallu newid
- Yn ddiogel oherwydd cynllunio da
- Yn mynegi hanfod y sefydliad newydd.

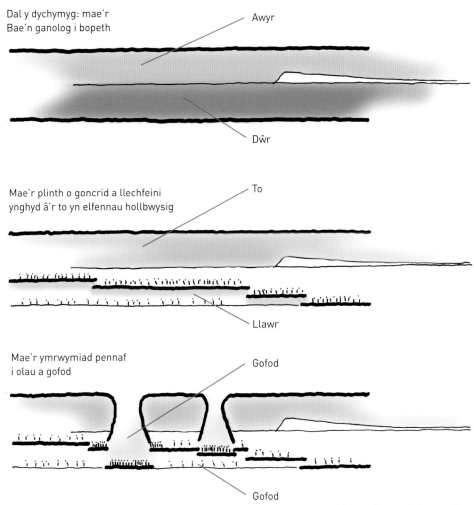

Dal y dychymyg: mae'r
Bae'n ganolog i bopeth

Awyr

Dŵr

Mae'r plinth o goncrid a llechfeini
ynghyd â'r to yn elfennau hollbwysig

To

Llawr

Mae'r ymrwymiad pennaf
i olau a gofod

Gofod

Gofod

# Ivan Harbour

Ymunodd Ivan Harbour, y partner yng nghwmni Richard Rogers a oedd yn gyfrifol am y Senedd, â'r practis ym 1985. Ei brosiect cyntaf oedd adeilad Lloyd's of London yn ardal ariannol y ddinas, cyn iddo arwain prosiect Llys Hawliau Dynol Ewrop yn Strasbourg ym 1995 a Llysoedd Barn Bordeaux ym 1998. Datblygodd ei arbenigedd yn cyfarwyddo amryw o brosiectau cymhleth, gan fynnu defnyddio rhesymeg glir yn sail bob tro. Mae'n brofiadol yn y maes ledled y byd.

Mae'r prosiectau a adeiladwyd dan ei oruchwyliaeth yn cynnwys adeilad Terminal 4 ym Maes Awyr Barajas Madrid, a enillodd Wobr Stirling 2006, a Chanolfan Maggie yn Ysbyty Charing Cross, a enillodd yr un wobr yn 2009. Arweiniodd brosiectau i ddylunio Llysoedd Barn Antwerp, tai fforddiadwy yn Oxley Woods ym Milton Keynes, cynllun adnewyddu ar gyfer ardal Barangaroo yn Sydney, ac adeiladau yn Washington, Qatar, Stuttgart, Taiwan, Seoul, Kyoto a Tokyo, ymhlith nifer o rai eraill. Daeth yn uwch-gyfarwyddwr yng nghwmni Richard Rogers ym 1998. Roedd newid enw'r practis i Rogers Stirk Harbour + Partners yn 2007 yn gydnabyddiaeth i gyfraniad Graham Stirk ac Ivan Harbour. Yn dilyn marwolaeth Richard Rogers, ailenwyd y practis unwaith eto yn RSHP o 2022 ymlaen.

'mae ffigurau'n eithaf hawdd eu hamgyffred, ond mae'r dyheadau a sut y caiff y rheini eu cyfleu'n fwy cymhleth o lawer'

Sut y gwelaf i bethau: amlinelliad bras cyntaf Ivan Harbour i'w gyd-weithwyr: braslun o'r to, y llawr, a'r twndisau golau ac aer trawiadol.

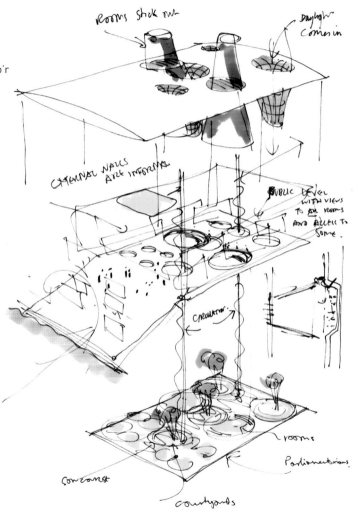

Uwchben y to: yr olygfa tua'r de-orllewin
o Dŷ Hywel dros y Bae.

Yn ôl yr Arglwydd Callaghan, roedd yr adeilad a
ddewiswyd yn 'syml, yn gain, yn ddiwastraff ac
yn berl ... Gall ddod yn adeilad gwych, yn un o
weithiau pensaernïol enwocaf dechrau'r unfed
ganrif ar hugain'.

Roedd y prosiect wedi bod yn llafur cariad
i Richard Rogers o'r cychwyn. Prin yw'r
penseiri hynny sy'n gallu rhestru seneddau
cenedlaethol ymhlith eu llwyddiannau.
Hwn oedd y pafiliwn cyntaf i'w gwmni ei
ddylunio, y cyntaf i ddefnyddio coed ar raddfa
eang, a'r cyntaf i ymrwymo yn y fath fodd i
gynaliadwyedd.

Roedd y Senedd yn rhan o'r ail brosiect adfywio
mwyaf a welodd ynysoedd Prydain erioed.
Gwaith oedd hwn a aeth rhagddo am dair
blynedd ar ddeg, dan arweiniad Corfforaeth
Datblygu Bae Caerdydd, i adnewyddu 2,700 erw
o dir yn y dociau. Ym mis Ionawr 2000, talodd
y Cynulliad bunt am y tir lle saif y Senedd
heddiw. Tra oedd yr adeiladwyr wrth eu gwaith,
trafodai'r Aelodau mewn siambr dros dro yn
Nhŷ Crughywel. Roedd y Frenhines wedi agor
y siambr hon ym 1999, gan sôn am 'bont i'r
dyfodol' ac am 'fforwm a fydd yn rhoi llais mwy
ystyrlon a democrataidd i bobl y tir hynafol ac
urddasol hwn'.

Bydded goleuni: golygfa gynnar tua'r de-orllewin
ac at Benarth, a'r cysyniad o dri thwndis.

Fel sy'n anochel o dro i dro gyda gweithiau pensaernïol amlwg, daeth cecru law yn llaw â'r concrid. Ym mis Gorffennaf 2001, rhoddodd y Cynulliad ddiwedd ar y prosiect cyn ei gomisiynu drachefn ddwy flynedd yn ddiweddarach. Y tro hwn, Taylor Woodrow Construction fyddai'r contractwr, ond yr Arglwydd Rogers oedd y pensaer o hyd. Oherwydd ystyriaethau'n ymwneud â diogelwch a rhoi mynediad i bobl anabl, bu'n rhaid addasu tipyn ar y cynllun gwreiddiol.

Serch hynny, glynodd y Cynulliad yn driw wrth weledigaeth wreiddiol Rogers ac wrth egwyddor gofod a golau.

Daeth y gwaith adeiladu i ben yn 2006. Ar ôl costio £67 miliwn, agorwyd y Senedd yn swyddogol ar ŵyl Ddewi yng ngŵydd y Frenhines, Tywysog Cymru a gwahoddedigion eraill. Ar yr un pryd, yn arwydd o gyfeillgarwch a thraddodiad, cyflwynwyd byrllysg seremonïol i'r Cynulliad gan senedd De Cymru Newydd.

Y gwaith adeiladu: y to wedi'i gwblhau; y Neuadd yn dod yn ei blaen; a'r grisiau sy'n arwain at yr Oriel.

Isod: Gweld y gwres: braslun cynnar yn dangos golau'r haul yn cyrraedd y siambr drwy lusern y twndis. Mae'r aer yn codi ac yn dianc drwy'r fentiau a thrwy'r twndis. Mae'r gwynt dros y to yn peri i'r cwfl droi, gan adael i aer cynnes ddianc ar yr ochr gysgodol.

Dan arweiniad Richard Rogers ac Ivan Harbour, roedd yr adeilad yn ateb yr her a roddwyd ym 1998. Roedd yn gweddu i'r dim ac yn cyd-fynd â briff y Cynulliad. Mae siâp y Siambr, er enghraifft, yn golygu nad yw'r aelodau benben â'i gilydd fel y maent yn San Steffan. Roedd gofyn i'r Cynulliad roi sylw dyledus i ddatblygu cynaliadwy, a byddai'r systemau modern sy'n arbed ynni wrth fodd pob Cardi da. Nid yw'n adeilad anferth mewn unrhyw ffordd, ac nid yw'n ormesol nac yn taflu'i gysgod yn ormodol. At hynny, mae'n osgoi tynnu'n groes o ran siâp a ffurf. Mae ei rinweddau'n amlwg; mae'n gyfuniad o chwaeth ac urddas, ac yn symbol digamsyniol o Gymru. Dyna, wrth gwrs, oedd y gobaith gwreiddiol. Mae'n edrych yn dda ar gamera ac yn drawiadol tu hwnt ar y tudalennau blaen.

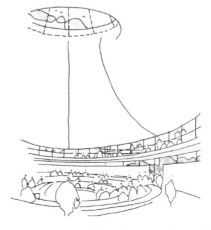

Sgerbwd cain: y Senedd
yn dod yn fyw.

Fframwaith hynod: siâp dramatig y twndis dur dros y siambr drafod.

# 05 Tanbaid o goch

Gadawodd y llwyth glo olaf Ddoc Gorllewinol Caerdydd ym 1964. Chwe blynedd yn ddiweddarach, roedd y cargo olaf wedi gadael y Doc Dwyreiniol ac oes Bute wedi graddol ddirwyn i ben. Yn sydyn, ymddangosai adeilad mawreddog brics coch y Pierhead yn unig iawn ar y glannau. Erbyn 1980, diffeithdir oedd y rhan fwyaf o ddociau Caerdydd.

Ar fwrdd dylunio William Frame, esblygodd y Pierhead yn gampwaith addurnedig ac yn adlewyrchiad o hyder diwedd oes Fictoria. Fe'i hagorwyd ym 1897 heb wastraffu eiliad ar seremoni. Prysurodd y staff yn ddiymdroi drwy'r drysau am eu desgiau: y clercod a'r cynorthwywyr i ganol pentyrrau o lyfrau cyfrifon ac anfonebau; yr uwch-swyddogion â'u mwstashys awdurdodol i wneud y penderfyniadau o bwys.

O'r Pierhead y rheolid porthladd glo mwyaf y byd, ac o'u swyddfeydd, roedd y rheolwr cyffredinol a'r Docfeistr yn tra-arglwyddiaethu ar y cyfan. Ond fe'u gyrrwyd hwythau yn eu blaenau gan y cloc. A'r llanw oedd y meistr mwyaf o hyd. Roedd llwyddiant y busnesau yn dibynnu ar lanio a throi ymaith drachefn cyn gynted ag yr oedd modd.

Golygfa ryfeddol: porth mawreddog, ffenestri llydan a bwaog, toeau serth, bylchfuriau, simneiau addurnedig – a phistyllod bargod yn coroni'r cyfan.

Ysblander y Pierhead: simnai driphlyg, tŵr
y cloc a tho siâp diffoddwr canhwyllau.

Byddai rhesi hir o wageni'n cludo glo hyd y cledrau i'r llongau a arhosai amdanynt. Ar eu byrddau, roedd miloedd o halwyr, pwyswyr, storwyr ac arllwyswyr wrthi fel lladd nadroedd yn llenwi'r howldiau. Roedd eu dillad yn ddu o lwch. Ar yr un pryd, deuai cyflenwadau o ddeunyddiau adeiladu a nwyddau ar gyfer y pyllau glo i mewn o wledydd Llychlyn, nes bod yr awyr yn drwch o flas pren yn gymysg â'r mwg a'r stêm.

Er mai oes y stêm oedd hon, nid oedd dyddiau'r llongau hwylio wedi darfod amdanynt yn llwyr. Roedd glannau Caerdydd yn llawn i'r ymylon o fastiau a oedd yn dal i herio gwyntoedd y cefnforoedd. Dibynnai'r Llynges Frenhinol a'r llongau masnachol ar ryw gant a hanner o borthladdoedd codi glo ledled y byd – gan gynnwys rhai yn Aden, Ascension, Ffiji a Trincomalee – a llongau hwylio oedd yn cyflenwi nifer helaeth o'r rhain.

William Frame oedd pensaer trydydd ardalydd Bute, a'r Pierhead oedd campwaith ei yrfa. Costiodd y cyfan £30,000 i'w godi – rhyw £3 miliwn yn arian heddiw. Yn yr un modd â Chastell Caerdydd a'r gaer ffantasïol a adferwyd yng Nghastell Coch, mae'r adeilad yn dyst i hoffter yr Arglwydd Bute o'r steil bensaernïol goeth a wnaed yn boblogaidd gan Augustus Pugin yn San Steffan gynt.

Gwylio'r cychod yn glanio: llong gargo yn cyrraedd y Doc Gorllewinol. Mae'n amser te yn ôl cloc y Pierhead.

Rhyfeddodau'r porth: addurniadau coeth.

Isod: 'Willum' – cartŵn o'r pensaer
William Frame gan Fred Weekes.

Rhoddodd Frame rywfaint o naws Ffrengig
i batrymau gothig y Pierhead. Roedd y brics
fflamgoch ar y waliau wedi'u gwneud o glai
Etruria Marl gan J C Edwards o Riwabon, ger
Wrecsam. I gyd-fynd â hwy, dewisodd Frame
deils melyngoch 'majolica' yr un cwmni, a'r
rheini'n efelychu'r llestri pridd a oedd yn
boblogaidd yng ngwledydd Môr y Canoldir.
Deuai'r gair 'majolica' o'r enw Eidaleg ar ynys
Majorca. Ffafriai llawer o benseiri'r cyfnod y
brics coch a'r teils trawiadol hyn wrth godi
adeiladau dinesig, llyfrgelloedd, colegau ac
ysbytai.

Mae twˆr cloc y Pierhead yn gyforiog o addurniadau urddasol sy'n darlunio brwydrau, pennau llewod, artistwaith herodrol, cyfresluniau, patrymau deiliog a phistyllod bargod. Saif tyredau cromennog bob ochr i fwa'r fynedfa. Ar un o'r waliau allanol, gwelwn arfbais y cwmni, sy'n gyfuniad o gerbyd trên a llong. Mae'r arwyddair – wrth ddwˆr a thân – yn deyrnged i'r chwyldro stêm ei hun. Mewn mosaig ar lawr y neuadd fawr, ymddengys y geiriau a'r delweddau drachefn. Mae'r colofnau sy'n cynnal y nenfwd hwythau wedi'u haddurno â rhigolau a theils. Llifa golau dydd drwy'r ffenestri mawreddog. I gyd-fynd â'r grisiau gwenithfaen godidog, gosodwyd canllaw gwyrdd trawiadol ynghyd â theils ysblennydd ar y muriau.

William Frame oedd dylunydd pedwar wyneb cloc y Pierhead hefyd. Gwˆr o'r enw William Potts o Leeds a greodd y mecanwaith, cyn i system drydanol newydd gael ei gosod ym 1973. Prynwyd y gyriant gwreiddiol gan gasglwr o Birmingham, Alabama ym 1976, ond daeth hwnnw i feddiant Cyngor Caerdydd yn 2005. Croesawyd yr hen gloc yn ôl i'r ddinas i gyfeiliant ffanffer gan Gatrawd Frenhinol Cymru. Mae'r gloch wreiddiol, sy'n pwyso dros dunnell, yn dal i grogi yn y twˆr er na chaiff ei chanu erbyn hyn.

Chwith: Ochr ddeheuol y
Pierhead; yr arfbais coch;
y prif risiau.

Gwyliwch y bwystfilod:
pistyllod bargod a dreigiau.

Chwith: Y tŵr rheoli a'r lle tân: ystafell prif reolwr y dociau.

Dde: Nid oedd dim wedi'i adael heb ei addurno; un o bysgod y lle tân.

Agorodd y Pierhead wrth i Gwmni Dociau Bute ailsefydlu dan enw Cwmni Rheilffordd Caerdydd, gan obeithio denu rhagor o fuddsoddwyr. Gwelwn restr anrhydeddau ar y llawr gwaelod sy'n deyrnged i'r gweithwyr hynny a fu'n ymladd yn y Rhyfel Byd Cyntaf. Mae sêr du'n dynodi enwau'r rheini a gollodd eu bywydau.

I fyny'r grisiau, steil farwnol Albanaidd sydd i ystafell prif reolwr y dociau, gyda'i phaneli pren a ffenestr lydan yn edrych draw dros yr holl harbwr. Mae'n rhaid dychmygu hwnnw'n fwrlwm o longau a phobl. Ar y nenfwd, mae'r gwaith plastro'n frith o batrymau deiliog. O amgylch y lle tân, ar y tyredau a'r canopïau, cerfiwyd pysgod a pharotiaid ac adar bach, ynghyd â rhagor o ddail drachefn. Dyma'r math o fanylion chwareus y byddai William Frame a'r Arglwydd Bute mor hoff ohonynt. Gweithiai rheolwr cynorthwyol y dociau yn yr ystafell foethus y drws nesaf, ac roedd gan y Docfeistr yntau olygfa drawiadol o'i swyddfa ar y llawr gwaelod.

Yn ystod yr Ail Ryfel Byd, roedd y Pierhead yn dirnod cyfleus wrth i awyrennau'r Luftwaffe anelu'u bomiau. Bu'r Associated British Ports yn defnyddio'r adeilad am gyfnod cyn iddo ddod i feddiant Cynulliad Cenedlaethol Cymru ym 1998. Gwariwyd tua £700,000 yn ei adnewyddu. Bellach, mae'n llawn orielau ac ystafelloedd darlithio. Dyma hefyd ganolfan ymwelwyr y Senedd ac ynddi arddangosfa sy'n adrodd hanes morol Caerdydd. Mae'r Pierhead yn adeilad rhestredig Gradd I drwyddo draw.

Bu William Frame yn cynorthwyo William Burges, pensaer yr Arglwydd Bute, pan adnewyddwyd Castell Caerdydd a Chastell Coch. Fe'i holynodd yn y swydd pan fu farw Burges ym 1881. Mae'n wir bod hoffter Frame o'r ddiod gadarn wedi bod yn dreth ar amynedd ei gyflogwr goddefgar. Ar un achlysur ym 1890, fe'i diswyddwyd, ond teimlai'r meistr iddo fod yn rhy llym ar weithiwr caled a chafodd Frame ei swydd yn ôl. Ni ddaliodd yr un o'r ddau ddig. Pan fu farw'r ardalydd ym 1900, gadawodd £1,000 i Frame yn ei ewyllys, sef rhyw £90,000 yn ein hoes ni. Bu farw Frame chwe blynedd yn ddiweddarach. Mae ei waith a'i gelfyddyd yn dal i roi mwynhad i bobl heddiw.

Hanesion y Pierhead: mae'r ystafelloedd lle'r arferai clercod y dociau a'r rheolwyr weithio bellach yn fannau darlithio sy'n llawn sgriniau ac arddangosfeydd.

Ysblander Fictoraidd o'r iawn ryw: mae'r brif neuadd wedi'i rhannu'n dair gan fwâu mawreddog.

Mae glannau'r dŵr yn cynrychioli
tair canrif. Roedd y 'dolffiniaid'
pren cadarn yn angorfeydd dros
dro i'r llongau.

# 06 Senedd

Wrth ddringo o'r Bae tua'r Senedd, gwelwn y bedwaredd ganrif ar bymtheg yn ildio i'r unfed ganrif ar hugain. Mae'r grisiau o'r rhodfa ar lannau'r dŵr yn cychwyn ger hen borth tywodfaen y Doc Dwyreiniol gynt. Dros y blynyddoedd, llifiwyd rhigolau dirifedi yn y waliau tywyll gan raffau a cheblau degau ar ddegau o longau.

Dechreuwyd adeiladu'r doc yn ôl ym 1852. Pan ddaeth y gwaith i ben ym 1859, roedd yn agos at fod yn filltir o hyd. Mae'r grisiau i'r Senedd yn dringo drwy ran o'r loc môr gwreiddiol, lle byddai llidiardau pren anferth yn dal y cefnfor yn ôl. Yn ystod y 1970au a'r 1980au, aethpwyd ati i lenwi'r loc ynghyd â'r basn a orweddai y tu ôl iddo. Rhaid bodloni, felly, ar ddychmygu prysurdeb yr holl longau a arferai fynd a dod heibio i'r fan lle saif y Senedd heddiw.

Mae gan yr adeilad gymdogion go amrywiol a'r rheini'n cyferbynnu'n gofiadwy â symlrwydd y Senedd. O fewn tafliad carreg i'w gilydd, ceir ysblander trawiadol y Pierhead, to crwban Canolfan Mileniwm Cymru ac ymylon onglog swyddfeydd yswiriant Atradius. Nid nepell i'r de, saif yr eglwys Norwyaidd yn fychan ac yn hardd yn ei muriau gwyn.

Wrth ddilyn y grisiau o'r doc, ceir cofeb ingol ar y dde i'r morwyr a fu farw yn yr Ail Ryfel Byd. O flaen yr adeilad, mae baneri'r Senedd, Cymru a'r Deyrnas Unedig yn chwifio ochr yn ochr yn y gwynt. Mae'r grisiau'n ymuno â'r haenau a'r terasau sy'n arwain at y plinth lle saif y Senedd ei hun.

Ar fin agor: symbol o'r Gymru fodern.

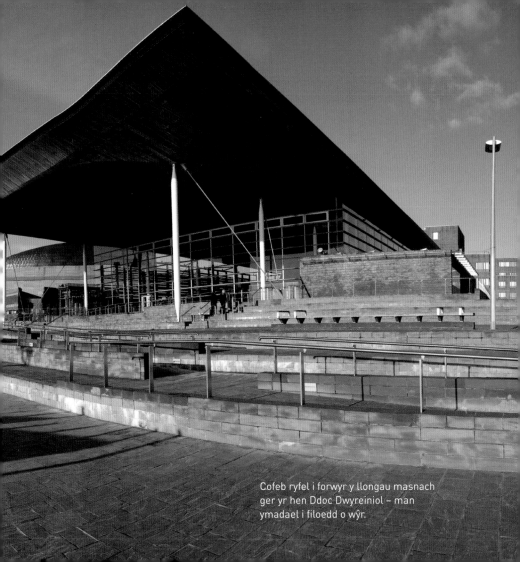

Cofeb ryfel i forwyr y llongau masnach ger yr hen Ddoc Dwyreiniol – man ymadael i filoedd o wŷr.

Dros y sylfeini concrid, ceir gorchudd o lechi llwydlas a naddwyd o chwarel Cwt-y-Bugail ger Blaenau Ffestiniog. Mae hwnnw'n cyd-fynd â'r wyneb o lechi sydd ar furiau Canolfan y Mileniwm. Ar gongl ddeheuol y plinth, ceir mainc ar ffurf atalnod, a honno hefyd wedi'i cherflunio o lechi.

Wrth gyrraedd y trothwy, daw'r elfennau dramatig yn gynyddol amlwg gan ein denu'n nes. Yn y man cyfarfod ar y teras llechi, mae'r to'n esgyn i'r entrychion uwch ein pennau, yn bortico cysgodol ar nodwyddau main o ddur, yn feranda eang, yn adain grom, yn gysgod pabell. Yn wir, gall hwn fod yn bopeth. Mae'n amhosibl diflasu ar yr olygfa. A'r hyn sy'n nodedig yw bod y tonnau yn y nenfwd, ynghyd â'r llawr llechi hardd, yn rhan o'r pafiliwn gwydr y tu mewn a'r tu allan ill dau.

Undod: llechfeini Cymreig o'r chwarel, gwydr a dur o'r ffwrnais, a choed cedrwydd o'r fforest.

Rhan hanfodol o'r ddrama bensaernïol: y to adeiniog a thonnog, a chragen gopr Canolfan y Mileniwm yn gefndir.

Isod: Craig yr oesoedd: llechi o'r chwarel.

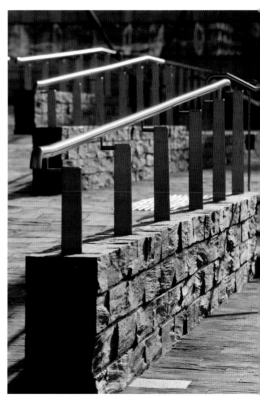

Cerflun gwydr 'Maes y Cynulliad' a grëwyd gan Danny Lane ar ochr orllewinol y Senedd. Yma, mae pum rhes gyfochrog o ddeuddeg ar hugain o elfennau gwahanol yn codi ar grid chweonglog, gan roi cysgod rhag y gwynt. Mae'r cerflun yn newid wrth i chi grwydro o'i amgylch.

Cawn ein harwain i fyny grisiau llechi llydan o'r Neuadd i'r Oriel. Hwn yw'r llawr uchaf ac yma y mae'r caffi. Mae'n ofod arall i bobl ymgynnull ac i gynnal perfformiadau ac arddangosfeydd. Mae'r cadeiriau a'r byrddau'n syml ond yn gain. Yn y fan hon, teimlwn yn nes o lawer at y nenfwd gorchestol o goed cedrwydd. Cafodd y cromliniau a'r chwe chafn hirgrwn eu dylunio â chyfrifiadur er mwyn creu cyfuniad o gywreinrwydd a chadernid. O'r golwg, y tu ôl i'r cyfan, ceir ffrâm ddur sy'n pwyso 420 tunnell a honno'n cynnal y nenfwd oddi fry. Mae colofnau main o ddur yn cynnal y cyfan o'r llawr. Golygfa wefreiddiol yw hon.

Golau a chysgod: yr olygfa o oriel yr Aelodau.

Llond y lle o bren: coed cedrwydd o Ganada
wedi'u crymu'n hardd.

Y cylch gwydr.

Roedd y twndis symbolaidd, sydd i'w weld mor amlwg y tu allan i'r adeilad, yn ymddangos yn y brasluniau cyntaf un. O'r tu mewn, mae'n ymestyn yn ddramatig tuag at estyll pren y ffurfafen. Lle mae'n ymuno â llawr yr Oriel, ceir cylch o wydr sy'n rhoi cip i'r cyhoedd ar eu cynrychiolwyr etholedig islaw.

Oriel gyhoeddus y Siambr ac
ynddi seddi i 128 o bobl, gan
gynnwys lle i'r wasg a
chadeiriau olwyn.

Llusern a drych, yn manteisio i'r eithaf ar y golau.

Dde: Desgiau a llawr derw sy'n rhoi acwsteg o'r radd flaenaf.

Oddi yma, mae'r twndis yn torri drwy do'r adeilad ac yn ymestyn i'r awyr agored. Mae iddo ddau ddiben hollbwysig, sef goleuo ac awyru'r Siambr. Codwch eich golygon o'r Siambr neu'r oriel gyhoeddus a bydd y wybren yno i'w gweld. Ar y to, ceir llusern bigfain sy'n gyrru golau dydd i lawr drwy'r twndis ei hun. Mae drych o'r un siâp yng nghorn gwddw'r twndis yn adlewyrchu ac yn cryfhau'r golau, ac mae modd ei godi a'i ostwng yn ôl y galw. Y tu mewn i'r twndis, ceir rhesi o fodrwyau alwminiwm llorweddol – pedwar ugain a naw ohonynt i gyd – sy'n rhoi mwy o olau pan fydd angen hynny.

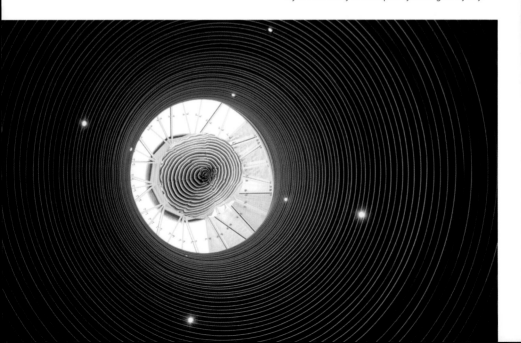

Cloch o heulwen yn croesawu golau dydd.

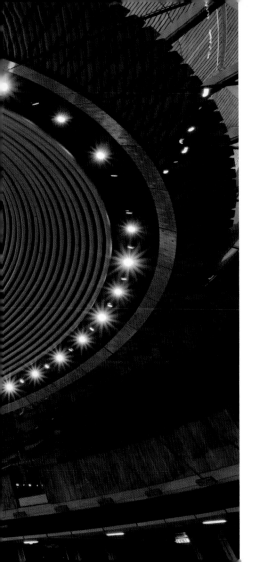

Uwchben y llusern, saif y cwfl sydd bron yn ugain troedfedd o daldra. Mae hwn yn troi fel ceiliog gwynt ac yn ymdebygu i faner ar bafiliwn. Ar yr ochr gysgodol, bydd y gwasgedd negyddol yn sugno awyr gynnes o'r Siambr fel simnai. Bydd odyndai traddodiadol yn sychu hopys mewn ffordd debyg.

Daw'r golau coch ymlaen a'r siaradwr piau'r llawr.

Rhoi'r darnau yn eu lle: aeth Alexander Beleschenko, yr artist o Abertawe, ati i greu cerflun 'Calon Cymru' drwy gyfuno haenau o wydr cyn eu chwalu a'u hailffurfio mewn mowld i greu arwyneb sy'n denu golau ac yn symbol o adnewyddu.

# Coch, gwyn a gwyrdd

Yn ystod y dadleuon yn y Siambr, bydd y trigain Aelod yn defnyddio sgriniau cyffwrdd pedair modfedd ar bymtheg, ynghyd â system gyfrifiadurol unigryw sydd wedi'i chreu'n bwrpasol at y diben. System wedi'i symleiddio yw hon, heb fod iddi unrhyw nodweddion diangen.

Darperir agenda ac arni'r wybodaeth angenrheidiol ar gyfer busnes y dydd. Bydd y tîm sy'n gwasanaethu'r Siambr yn anfon y dogfennau perthnasol i'r sgriniau fel y gall yr Aelodau weithio heb bapur. Mae modd defnyddio pob desg fel darllenfwrdd hefyd a cheir drôr o dan bob un.

Gall yr Aelodau ddefnyddio system negeseua sydyn i anfon gair at aelodau unigol neu at bawb yn eu plaid eu hunain. Mae'r system hon yn arbennig o ddefnyddiol i chwipiau'r pleidiau yn ystod y cyfnodau pleidleisio. Nid yw'n gweithio y tu allan i'r Siambr ac ni chaiff y data'i gofnodi na'i gadw.

Bydd yr Aelodau'n pwyso botwm ar y sgrin i roi gwybod i'r Llywydd eu bod am siarad mewn dadl. Yn eu tro, bydd peirianyddion yn yr oriel sain yn troi'r meicroffon ymlaen pan gaiff yr Aelod ei alw i siarad. Os bydd yr Aelod hwnnw'n treulio gormod o amser yn traddodi'i araith, mae modd i'r Llywydd bwyso botwm coch i ddiffodd y meicroffon. Mae'r cyfrifiaduron ar ddesgiau'r Aelodau'n rhai distaw, ac nid oes ynddynt ffaniau gan nad ydynt yn gorgynhesu. Os bydd cyfrifiadur yn torri, gall yr Aelod symud i ddesg sbâr tra bydd y staff yn newid yr offer mewn dim o dro.

Mae'r system bleidleisio electronig yn hynod o hwylus, ac mae'n gweithio'n annibynnol ar weddill y system dechnoleg gwybodaeth. Rhaid i'r Aelodau fod yn y Siambr i bleidleisio. I fwrw pleidlais, mae'n rhaid pwyso un o dri botwm o dan y sgrin. Y botwm gwyrdd yw'r un i bleidleisio o blaid cynnig, y botwm gwyn i ymatal, a'r botwm coch i bleidleisio yn erbyn cynnig. Y pedwerydd dewis yw peidio â phleidleisio o gwbl. Ceir saib byr sy'n rhoi cyfle i'r Aelodau newid eu meddyliau. Pan gaiff y bleidlais ei hagor, bydd y Llywydd yn gwylio'r canlyniadau ar ei sgrin, er na all yr Aelodau eu gweld.

Yn ogystal â'r system negeseua yn y Siambr, mae modd i bob Aelod ddefnyddio'r e-bost a'r Rhyngrwyd. Gellir ysgrifennu llythyrau ac areithiau ar y sgrin. Ceir hefyd wiriwr sillafu a chyfrifiannell. Bydd yr Aelodau'n gwylio unrhyw gyflwyniadau DVD byr ar un o bedair sgrin y Siambr. Caiff y trafodion eu darlledu gan Senedd.tv o amgylch y Senedd a Thŷ Hywel, a gall pawb eu gweld hefyd yn fyw ar-lein. At hynny, anfonir y lluniau byw i'r stiwdios sydd gan y BBC, ITV ac S4C yn Nhŷ Hywel, er mwyn eu defnyddio ar raglenni newyddion. Caiff y camerâu teledu sydd wedi'u gosod o amgylch y Siambr eu rheoli o stiwdio yn Nhŷ Hywel. Mae dau ohonynt yn aros yn yr unfan, a'r chwech arall yn symud yn dawel ar gledrau.

Mae lle yn yr oriel gyhoeddus i 128 o ymwelwyr. Oriel yw hon sy'n eich atgoffa mewn un ffordd o ddyluniad capel anghydffurfiol. Ceir lle hwylus i ddeuddeg o gadeiriau olwyn, ynghyd ag ystafell i gynnal cynadleddau i'r wasg gerllaw. Fel yr Aelodau, gall y cyhoedd glywed cyfieithu ar y pryd o'r Gymraeg i'r Saesneg. Mae cyfleusterau tebyg ar gael i'r rheini sydd am wylio'r trafodion yn y tair ystafell bwyllgora ar y llawr gwaelod. Saif yr ystafelloedd hyn, yn ogystal â swyddfeydd eraill, mewn rhyw fath o gyrtiau neu hafnau a naddwyd yn sylfeini'r adeilad ar ddwy ochr y Siambr. Mae ganddynt oll furiau gwydr sy'n wynebu'r cyrtiau, a'r rheini'n eu tro'n driw i thema gofod agored a golau dydd. Ar y waliau llyfn o goncrid llwyd, ceir paneli acwstig ffabrig Martin Richman, mewn tri arlliw o wyrdd a melyn a phinc. Yma a thraw, ceir rhagor o ystafelloedd cyfarfod, yn ogystal â lle paned i'r Aelodau. Dros ddwy rodfa wydr sy'n pontio o Dŷ Hywel, bydd yr Aelodau a'r swyddogion yn croesi i'r Senedd.

Lledaenu'r newyddion: gohebwyr yn ymgasglu
ar gyfer cynhadledd i'r wasg yn y Senedd.

Ceir rhyw 600 o baneli gwrthsain yn y Senedd, a'r rheini ar ffurf fframiau pren ac arnynt ffabrig niwtral. Mae tua 270 ohonynt wedi'u peintio gan Martin Shipman, a fwriodd ati i greu cyfres unigryw ar gyfer pob rhan wahanol o'r adeilad. Mae'r dyluniadau'n adlewyrchiad o haenau craig a dyddodion mwynol, sef ffynhonnell holl gymeriad, diwylliant a chyfoeth Cymru.

Mae'r waliau gwydr yn wynebu'r cyrtiau
mewnol yn yr ystafelloedd cyfarfod a'r
ystafelloedd pwyllgora, gan gyd-fynd â'r
holl ofod agored.

Ystafell Briffio

Briefing Room 11

# Cyfarchiad o Awstralia

Mae'r byrllysg a gyflwynwyd i'r Senedd yn y seremoni agoriadol yn 2006 yn dathlu cysylltiad a ddeilliodd o fordaith James Cook i arfordir dwyreiniol Awstralia ym 1770. Serch hynny, camgymeriad yw tybio bod talaith De Cymru Newydd wedi cael ei henwi yn sgil y tebygrwydd rhwng arfordir Awstralia ac arfordir Cymru. Yn ystod y gyntaf o'i dair mordaith i'r Môr Tawel, bu Cook yn tirfesur 2,000 o filltiroedd ar hyd glannau dwyreiniol Awstralia cyn meddiannu'r ardal ar 22 Awst. Ac yntau'n fforiwr ac yn ddaearyddwr, roedd gan Cook ddyletswydd i enwi gwahanol lefydd ond ni wnaeth hynny ar ei union y tro hwn. Wrth gwrs, roedd New England, New Britain a Nova Scotia yn bodoli eisoes. Roedd hi'n fis Hydref cyn i Cook ysgrifennu'r enw New Wales yn ei ddyddiadur. Yn ei ddyddiadur ei hun, ysgrifennodd Joseph Banks, ei gydymaith: 'New Wales bestowed by Cook'. Fodd bynnag, mae'n ddigon posibl bod Cook wedi cofio'n sydyn fod New Wales arall yng Nghanada. Mewn copïau diweddarach o'r dyddiadur, ychwanegwyd y gair 'South' at New Wales. Ni chafodd yr holl dir ei alw'n Awstralia tan 1803. Enwyd rhan ogleddol De Cymru Newydd yn Queensland ym 1853.

Wedi'i greu o efydd, arian ac aur, mae'r byrllysg yn gorwedd yn nesg y Llywydd yn y Siambr. Mewn senedd, symbol cyfriniol o awdurdod y llefarydd yw'r byrllysg. Mae Tŷ'r Cyffredin wedi cadw'r traddodiad hwn yn fyw drwy gyflwyno byrllysgau i sawl deddfwrfa yn y Gymanwlad.

Troednodyn i hanes: yr un enw,
yr un dreftadaeth.

# 07 Cwtogi'r costau

O'r dechrau'n deg, roedd y briff i ddylunio'r Senedd yn gofyn i'r penseiri ymrwymo i greu adeilad a edrychai tua'r dyfodol, a hwnnw'n arbed gwres, golau, trydan, dŵr a deunyddiau. Fe'i dyluniwyd i bara am ganrif a mwy ac i fod ar flaen y gad wrth ei adeiladu a'i ddefnyddio. Y nod oedd manteisio i'r eithaf ar yr adnoddau cynaliadwy a oedd ar gael.

Dim ond mewn adeilad newydd y gellid cyflawni'r amcanion a'r gofynion hyn. Y Cynulliad yw'r corff gwleidyddol cyntaf ym Mhrydain i orfod hyrwyddo datblygiad o'r fath. Mae'n ymrwymiad ganddo i wneud yn fawr o fyd natur drwy ddefnyddio awyr iach, golau dydd, gwres o'r ddaear a dŵr glaw, ynghyd â gwastraff pren rhad yn danwydd gwresogi. Y targed yw cwtogi'r costau cynnal a chadw nes bod y rheini draean neu ragor yn is.

Roedd yn fwy ymarferol o'r hanner i'r penseiri ystyried yr adeilad newydd yn ei gyfanrwydd, gan roi'r dechnoleg gyfrifiadurol yn ei phriod le o'r dechrau a chynllunio at y tymor hir. Byddai carpedi, er enghraifft, wedi bod yn rhatach ar y lloriau na'r llechi a geir drwy'r adeilad, ond dros ganrif byddai'r rheini'n ddrutach ac yn anos o beth tipyn i'w cynnal a'u cadw.

Gadewch i ni ddechrau â'r sylfeini. O goncrid wedi'i atgyfnerthu y codwyd gwaelod yr adeilad. Gall hwnnw wrthsefyll ffrwydron a lliniaru rhywfaint ar y gwasgedd a gaiff ei greu gan y gwynt. Mae'n oeri'r adeilad mewn tywydd poeth ac yn arbed ynni drwy addasu'r tymheredd pan fydd y gwres yn newid. Mewn rhai mannau, mae'r concrid wedi'i gadw'n foel er mwyn dangos rhinweddau a harddwch y muriau llwyd.

Caiff rhannau helaeth o'r Senedd eu cynhesu a'u hoeri drwy ddefnyddio ynni adnewyddadwy a thymheredd cyson y ddaear. Y nod yw symud gwres o fan i fan yn hytrach na'i greu o'r newydd drwy losgi olew neu nwy. Ceir saith ar hugain o dyllau turio, bob un yn ddeunaw modfedd o led, sy'n ymdreiddio drwy'r sylfeini i ddyfnder o 330 o droedfeddi. Yma, mae tymheredd y ddaear yn 16C neu'n 64F.

Yn ystod y gaeaf, defnyddir pibellau pwrpasol sydd wedi'u hinswleiddio i godi'r gwres i'r wyneb, cyn ei drosglwyddo i gyfnewidwyr sy'n cynhesu'r lloriau. Yn ystod yr haf, defnyddir y system o chwith: caiff y gwres ei anfon o'r Senedd yn ôl i'r ddaear sy'n golygu nad oes angen defnyddio dulliau sy'n llyncu ynni i oeri'r adeilad.

Mae'r system ddaearwresol, ddarbodus hon yn golygu defnyddio llai o adnoddau a chreu llai o allyriadau. Dyma'r system sy'n cael ei gosod yn y rhan fwyaf o dai newydd yn Sweden, ac er bod y costau'n uwch ar y dechrau, mae'r biliau yn y tymor hwy 30–40 y cant yn is.

Ystafell y peiriannau: tyllu i'r ddaear i gael cynhesrwydd, a'r tanc dŵr poeth sy'n trosglwyddo'r gwres hwnnw.

Cŵl Cymru: un o dechnegwyr y Senedd yn addasu'r falfiau sy'n rheoli'r tymheredd. Mae'r gorchuddion thermal yn atal y dŵr rhag anweddu.

Mewn boeler coch y cynhesir y dŵr ar gyfer tai bach a dargludyddion gwres y Senedd. Mae'r boeler hwn yn llosgi tanwydd biomas ar ffurf pelenni neu naddion pren, fel rheol o hen ddarnau o goed neu ddodrefn. Tanwydd sydd bron yn gwbl garbon niwtral yw hwn. Yn ystod y gaeaf, mae'r boeler yn defnyddio pymtheg tunnell o danwydd mewn rhyw ddwy neu dair wythnos, ac fe'i diffoddir yn llwyr rhwng mis Ebrill a mis Hydref.

Ynghyd â goleuo'r Siambr a'r ystafelloedd pwyllgora, mae gan y Senedd sawl agorfa bwrpasol sy'n denu golau dydd i ganol yr adeilad. Rheolir y goleuadau trydan yn yr ystafelloedd pwyllgora a'r swyddfeydd gan synwyryddion cyfrifiadurol sy'n cadw'r lefel ar 500 lwcs wrth i'r golau naturiol bylu neu gryfhau. Ceir synwyryddion isgoch drwy'r adeilad hefyd sy'n diffodd y golau'n awtomatig ar ôl ugain munud o segurdod.

Ar y cyfan, mae'r system awyru hithau'n gwbl naturiol ac yn cael ei defnyddio yn y rhan fwyaf o'r adeilad. Ar furiau gyferbyn â'i gilydd, ceir rheolyddion aer sy'n agor a chau yn awtomatig pan fydd galw. Daw aer i mewn drwy gilfachau yn y lloriau hefyd cyn dianc drwy fentiau yn y to neu drwy'r ffenestri. Prin fod angen unrhyw beiriannau aerdymheru, er bod y cyfleuster ar gael yn y Siambr ac yn yr ystafelloedd pwyllgora. Mae'r system unigryw honno'n sugno aer o'r awyr agored ac yn ei drosglwyddo drwy goil o rew a thrwy hidlyddion i lawr i'r adeilad.

Ar do'r Senedd, caiff dŵr glaw ei gasglu a'i yrru'n uniongyrchol i ddau danc 50,000 litr ar y llawr gwaelod. Ar ôl ei drin â chemegau a golau uwchfioled sy'n lladd bacteria, fe'i defnyddir yn y tai bach. Mae hynny'n cwtogi'n arw ar faint o ddŵr y bydd yr adeilad yn ei ddefnyddio. Yn wir, mae cymaint o ddŵr glaw'n disgyn ar y to, caiff peth ohono'i daflu ymaith.

Mae nodweddion amgylcheddol arloesol y Senedd wedi ennill iddi ardystiad BREEAM (Dull Asesu Amgylcheddol y Sefydliad Ymchwil Adeiladu) Rhagorol, a dyna'r ardystiad gorau un.

## 08 Sgwrs gyda Richard Rogers ac Ivan Harbour

'Mae'n anodd i'r pensaer ddweud a yw adeilad wedi llwyddo neu beidio. Mae'r defnyddwyr yn bwysicach erbyn hynny. Ond mae'r adeilad hwn ym Mae Caerdydd yn fy nghalonogi. Mae gan rywun berthynas agosach â rhai o'i adeiladau nag â rhai eraill. Mae'r Senedd yn un o'r rheini.'

Bu **Richard Rogers** (1933–2021) yn bensaer rhyngwladol amlwg am dros hanner can mlynedd.

Ymunodd **Ivan Harbour** â chwmni Richard Rogers ym 1985. Ef oedd cyfarwyddwr prosiect adeilad y Senedd rhwng 1998 a 2005.

Bu'r Arglwydd Rogers ac Ivan Harbour yn siarad â Trevor Fishlock yn adeilad Rogers Stirk Harbour + Partners ar lannau afon Tafwys, nid nepell o Bont Hammersmith.

RR: Gwella ansawdd bywydau yw hanfod pensaernïaeth. Buom yn cnoi cil ar y cysyniad o ddemocratiaeth fel proses o gyfnewid syniadau, gan weld y Cynulliad yn fan cyfarfod democrataidd sy'n ficrocosm o ddinas. Mae'n hollbwysig ei fod yn lle agored. Dylai pobl allu gweld yr hyn y mae eu llywodraeth yn ei wneud. Fan hyn, mae modd dysgu am ddemocratiaeth a gweld nad oes dim yn guddiedig yn ei gylch. Mae'r lle'n llawn golau, yn edrych ar y môr a'r awyr, ac yn edrych allan ar y byd.

IH: Roedd y Cynulliad yn awyddus i gael adeilad a fyddai'n ysbrydoli, yn symbol o'r dyfodol yn hytrach na'r gorffennol. Roedd dwy ran i'r briff. Yn y rhan gyntaf, cafwyd ambell baragraff o gyflwyniad gan yr Arglwydd Callaghan. Ef oedd yn gyfrifol am fynegi'r dyheadau yn y briff. A dyna'n union oedd ei angen arnom. Mae ffigurau'n eithaf hawdd eu hamgyffred, ond mae'r dyheadau a sut y caiff y rheini eu cyfleu'n fwy cymhleth o lawer. Roedd ei eiriau'n gynnil. Ni ddywedodd ei fod am weld adeilad a fyddai'n

gweiddi. Pe bai'r adeilad yn llwyddiannus ac yn gweddu i Gymru, mentrodd ddychmygu y byddai pobl yn ei gysylltu â'r wlad. Dyna oedd yr her. Heb yr her honno, ni fyddai'r adeilad hwn yn bodoli fel y mae. Mae'r ddyled yn un drom i Jim Callaghan.

RR: Rydym yn hoff o ysbrydoli pobl.

IH: Mae'r rhan fwyaf o'n gwaith yn deillio o gystadlaethau. Ni fydd pob un o'r rhain yn cael eu trefnu'n arbennig o dda, a bydd pobl yn gofyn gormod. Fodd bynnag, cafodd cystadleuaeth y Cynulliad ei threfnu'n wirioneddol dda dan arweiniad Sefydliad Brenhinol Penseiri Prydain. Gofynnwyd am y wybodaeth bwysicaf, yn hytrach na'r mân fanylion, ac fe'n galluogwyd felly i ganolbwyntio ar gyfleu'r cysyniad. Ein hawgrym ni oedd y dylai'r Cynulliad lenwi'r holl ofod posibl gerllaw'r adeiladau cyfagos, sef y Pierhead a Chanolfan Mileniwm Cymru pan fyddai honno wedi'i chwblhau. Er tegwch i'r Cynulliad, roeddent yn sylweddoli bod angen safle mwy na'r safleoedd a roddid i fusnesau a symudai i Fae Caerdydd. Yn amlwg, roedd y Senedd yn bwysicach na hynny.

# 'mae'r adeilad yn datblygu wrth i'r gwaith fynd rhagddo'

**RR:** Dywedwn yn aml fod pensaernïaeth yn deillio o gyfyngiadau. Nid arlunwyr haniaethol mohonom. Y gamp yw ymateb i gyfyngiadau, eu troi ben i waered a'u datblygu'n rhywbeth sy'n fanteisiol i chi. Mae'n anodd gweithio ar safle cwbl glir. Mae angen her.

**IH:** Mae safleoedd maes glas yn broblematig gan nad oes modd ymateb i ddim byd arall. Nid oes dim y gallwch wthio yn ei erbyn.

**RR:** Camgymeriad yw credu nad yw'r pensaer am wynebu unrhyw gyfyngiadau, a'i fod yn

gwybod yn union sut olwg fydd ar yr adeilad o'i frasluniau. Nid yw'n gwybod hynny: mae'r adeilad yn datblygu wrth i'r gwaith fynd rhagddo. Mae'n newid o hyd. Gofynnodd cleient i mi unwaith pam nad oeddwn wedi dweud wrtho sut olwg fyddai ar ei adeilad. Dywedais innau nad oeddwn yn gwybod yn iawn – dyna pam. Y pwynt yw nad oes modd gweld y darlun cyfan. Waeth pa mor dda yw'ch modelau, bydd pethau annisgwyl yn eich aros. Mewn rhai mannau, bydd yn rhaid gwneud penderfyniadau'n eithaf hwyr wrth gyfosod gwahanol bethau. Mae rhywbeth o'i le mewn codi adeilad a chithau wedi penderfynu'n derfynol ar eich holl syniadau o'r dechrau.

**IH:** I mi, y wefr mewn pensaernïaeth yw nad oes modd gwybod yn union sut olwg fydd ar adeilad yn y pen draw. Teimlad braf yw cael eich siomi ar yr ochr orau pan fydd hwnnw'n debyg i'r llun yn eich dychymyg.

**RR:** Y ddau beth pwysicaf mewn unrhyw brosiect yw briff da a chleient da sy'n rhoi arweiniad ac yn barod i gyfrannu. Mae'n well bod cleient yn troi'i drwyn ar rywbeth yn hytrach na dweud nad oes ganddo farn. Mae'n anodd gweithio gyda rhywun sydd heb farn. Mae'n well gallu dadlau am bethau. Bydd bob amser ffordd arall o wneud pethau, cyn belled â bod y ffordd honno'n rhesymegol. Wrth edrych yn ôl, mae'n siŵr mai'r adeiladau mwyaf diddorol oedd y rheini y cyfrannodd y cleient yn helaeth atynt.

**IH:** Un o nodweddion arbennig yr adeilad hwn yw'r hyn nad ydych yn ei weld, a deillio y mae hynny o ymrwymiad y Cynulliad i ddatblygu cynaliadwy. Dyma'r adeilad cyntaf i ni fod yn rhan ohono fel cwmni i ymroi cymaint i gynaliadwyedd.

**RR:** Bu gennyf ddiddordeb mewn cynaliadwyedd ers tro byd. Mae hwn yn adeilad modern o'r iawn ryw, ac yn un o'r adeiladau mwyaf cynaliadwy i ni eu dylunio erioed. Mae'r rhan fwyaf ohono'n cael ei awyru'n naturiol.

**IH:** Yn gysyniadol, mae'n rhoi lloches i ddemocratiaeth. Deilliodd siâp y to o'n dyhead i ddefnyddio'r strwythur ysgafnaf posibl a fyddai'n sefyll ar golofnau main, a hwnnw fel pe bai'n arnofio cymaint ag y bo modd. To fflat yw hwn yn ei hanfod, ac mae'r tonnau ynddo'n apelio at bobl ac yn rhoi cadernid ar ben hynny. Crëwyd y twndis gan nad oedd gan yr adeilad, i bob pwrpas, unrhyw ochrau. Daeth yr ysbrydoliaeth i'r cyfan drwy ddychmygu'r dŵr yn cynrychioli'r llawr, sef y llawr cyhoeddus,

a'r wybren yn do. Y peth pwysicaf yw bod y cynrychiolwyr etholedig a'r bobl sy'n eu hethol yn cyfarfod yn y fan hon. Yn symbol o hynny, mae'r wybren yn cael ei thynnu i lawr i'r ddaear. Mae gan yr holl syniadau hyn fwy nag un man cychwyn.

**RR:** Go brin ein bod wedi meddwl ymlaen llaw am y pethau hyn, ond mae rhywun yn storio syniadau'n ei gof o hyd, ac mae'r rheini'n aeddfedu am flynyddoedd.

**IH:** Dyna'r isymwybod, sef rhywbeth nad oes gan yr un cyfrifiadur mohono, diolch byth. Mae penseiri'n gwybod ychydig am lawer o bethau, ac mae'n rhaid i ni weithio gyda phobl sy'n gwybod llawer am ychydig o bethau. Oherwydd hynny, byddwn yn gweithio gyda nifer o ymgynghorwyr sy'n arbenigwyr go iawn.

'daeth yr ysbrydoliaeth
o'r dŵr ac o'r awyr'

yw trafod y cyfraniadau hyn a chreu rhywbeth ohonynt. Mae'n amhosibl disgrifio sut mae mynd ati i greu a datrys y problemau hyn. Byddai rhywun sy'n gallu gwneud hynny'n gyfoethog iawn. Rwyf wedi gweithio gyda Richard ers pum mlynedd ar hugain ac rwy'n dal i deimlo'n llawn cyffro wrth feddwl am fynd i fy ngwaith yfory. Mae'n broses greadigol iawn.

**RR:** Rwyf yr un mor frwd dros bensaernïaeth heddiw ag yr oeddwn flynyddoedd yn ôl. Wrth gwrs, mae'n braf cael gwobrau, ond nid beirniadaeth na gwobrau sy'n eich diffinio. Yn y pen draw, mae'n rhaid i chi gredu mewn adeilad.

**IH:** Roedd adeiladu'r Senedd yn dalcen caled ar brydiau. Ar un adeg, rhoddwyd y gorau i weithio ar y prosiect, a bu'n rhaid i ni gyflwyno tendr o'r newydd i'w gael yn ôl. Ni ofynnwyd i ni greu model, ond ar ôl i ni ddewis gwneud hynny, dyna aeth â hi yn y pen draw. I mi, mae'n llwyddiant. Mae'n lle a adeiladwyd yn yr un ysbryd â'r hyn a ddychmygwyd yn wreiddiol, ac mae'n mynegi'r hyn y chwiliai Jim Callaghan amdano. Rwy'n teimlo ein bod wedi ymateb i'w eiriau mewn ffordd y byddai'n falch ohoni.

**RR:** Mae'n anodd i'r pensaer ddweud a yw adeilad wedi llwyddo neu beidio. Mae'r defnyddwyr yn bwysicach erbyn hynny. Ond mae'r adeilad hwn ym Mae Caerdydd yn fy nghalonogi. Mae gan rywun berthynas agosach â rhai o'i adeiladau nag â rhai eraill. Mae'r Senedd yn un o'r rheini.

**RR:** Yn ein sefydliad ni, mae sicrhau bod pawb yn cyfrannu'n ganolog i'n ffordd o weithio. Nid fi fy hun yw'r cwmni, ond y tîm. Bob dydd Llun, byddwn yn cynnal fforwm lle daw pawb ynghyd i drafod y dyluniadau, yn bedwar neu'n bum prosiect, ac mae hynny'n cynnwys y cleientiaid, y peirianwyr a sawl un arall.

**IH:** Mae pawb sydd yno'n rhoi ei farn ac yn defnyddio'i brofiad. Ein gwaith ni fel penseiri

Yn syniadau i gyd: dychmygu'r Senedd.

# Yr Arglwydd Rogers o Riverside

Bu Richard Rogers (1933–2021) yn bensaer amlwg a dylanwadol am dros hanner can mlynedd, ac yn un o gefnogwyr brwd adfywio dinesig a mannau cyhoeddus. Celfyddyd gymdeithasol oedd pensaernïaeth iddo ef, ac roedd gwella ansawdd bywydau'n greiddiol i'r cyfan. Mae ei ddyluniadau'n adlewyrchu ei ddiddordeb byw mewn adeiladau hyblyg a chynaliadwy sy'n gallu addasu.

Fe'i hurddwyd yn farchog ym 1991 ac fe'i gwnaed yn Arglwydd am Oes ym 1996. Ym 1995, ef oedd y pensaer cyntaf i ddraddodi Darlithoedd Reith y BBC, a hynny ar y pwnc 'Dinasoedd ar gyfer Planed Fechan'.

Fe'i ganed yn Fflorens ym 1933, gyda'i gyfenw Seisnig wedi'i roi gan un o'i gyndadau a ymgartrefodd yn Fenis. Dihangodd ei rieni rhag ffasgaeth a symud i Brydain pan oedd yn bump oed. Enillodd ysgoloriaeth i astudio ym Mhrifysgol Yale, cyn dychwelyd i Brydain a sefydlu practis ar y cyd â Norman Foster. Yn ddiweddarach, daeth ef a Renzo Piano yn enwog drwy greu adeilad dadleuol y Centre Pompidou ym Mharis ym 1977. Yn yr un flwyddyn, sefydlwyd Partneriaeth Richard Rogers. Erbyn y 1980au, roedd ymhlith tri phensaer amlycaf Prydain. Daeth yn aelod o'r Academi Frenhinol ym 1984 ac yn enillydd Medal Aur Sefydliad Brenhinol Pensaernïaeth Prydain ym 1985. Rhoddwyd y Légion d'Honneur iddo yn Ffrainc ym 1986.

Penododd Llywodraeth Prydain yr Arglwydd Rogers yn gadeirydd ar ei thasglu trefol a edrychai ar gyflwr dinasoedd ym 1998. Rhoddwyd iddo fedal Sefydliad Coffa Thomas Jefferson am bensaernïaeth ym 1999, gwobr y Golden Lion am gyflawniad oes yn Biennale Fenis yn 2006, a gwobr bensaernïaeth Pritzker yn 2007. Daeth yn aelod o Urdd y Cymdeithion Anrhydeddus yn 2008.

# Y llwybr i ddemocratiaeth 1832–2005

Golygodd Deddf Diwygio 1832 fod pleidlais bellach gan wŷr amlwg y dosbarth canol, ynghyd â'r bonedd a'r tirfeddianwyr. Rhoddodd hynny gryn bwysigrwydd gwleidyddol i'r trefi diwydiannol. Y bonedd a'r pendefigion a dra-arglwyddiaethai yn y senedd, gan adael y dosbarth gweithiol yn chwerw a di-lais.

Ymateb wnaeth Deddf Diwygio 1867 i alwadau'r gweithwyr hynny. Ond er gwaethaf ehangu'r bleidlais, dim ond traean o wŷr y wlad o hyd oedd wedi'u rhyddfreinio. Nid oedd llais gan fenywod, a phrin fod democratiaeth ar unrhyw raddfa fawr i'w gweld.

Llenwi rhai o'r bylchau a adawyd ym 1867 oedd nod Deddf Diwygio 1884. Ehangwyd y bleidlais bryd hynny i gynnwys trigolion cefn gwlad. Eto i gyd, dim ond gan 5.6 miliwn o bobl yr oedd yr hawl i bleidleisio, a hynny mewn gwladwriaeth ac ynddi 36 miliwn o bobl.

Yn sgil pasio Deddf Cynrychiolaeth y Bobl 1918, rhoddwyd pleidlais i bob gŵr dros un ar hugain oed ac i fenywod dros ddeg ar hugain oed a dalai drethi neu a oedd yn wragedd i drethdalwyr.

Cafodd menywod dros un ar hugain oed yr hawl i bleidleisio yn dilyn pasio Deddf Cynrychiolaeth y Bobl 1928.

Cafwyd gwared ar bleidlais y prifysgolion yn sgil Deddf Cynrychiolaeth y Bobl 1948, yn ogystal â chael gwared ar hawl pobl i bleidleisio yn yr ardaloedd lle'r oedd eu cartrefi a'u busnesau ill dau.

Rhoddodd Deddf Cynrychiolaeth y Bobl 1969 bleidlais i bawb dros ddeunaw oed, a chynyddodd maint yr etholaeth i 40 miliwn o bobl yn sgil hynny.

Ym 1973, argymhellodd y Comisiwn Brenhinol ar y Cyfansoddiad sefydlu dau gynulliad – y naill yng Nghymru a'r llall yn yr Alban.

Gwrthododd pobl Cymru a'r Alban y cynigion ar gyfer datganoli yn refferenda 1979. Ond erbyn 1997, roedd y rhod wedi troi a phleidleisiodd dinasyddion y naill wlad a'r llall o blaid.

Cafodd Cynulliad Cenedlaethol Cymru, sef Senedd Cymru bellach, ei sefydlu gan Ddeddf Llywodraeth Cymru 1998. Yn yr etholiad cyntaf ym mis Mai 1999, enillodd menywod bedair ar hugain o'r trigain o seddi. Yn 2005, menywod a enillodd wyth ar hugain o'r rheini.

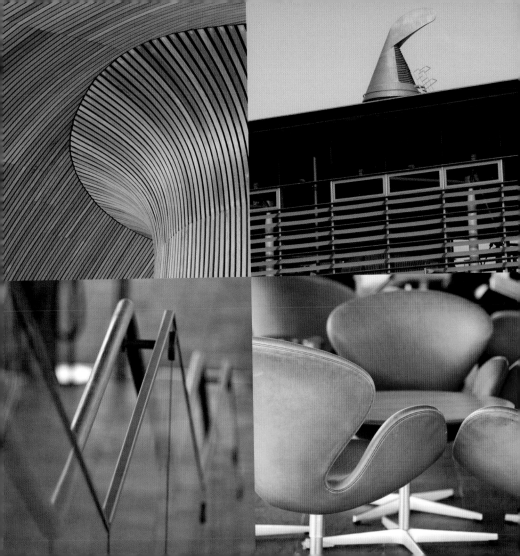

# 10 Y gweithiau celf a'r artistiaid

**Richard Harris** o Lanfair-ym-Muallt a naddodd y deugain namyn un o lechfeini sy'n creu'r man cyfarfod ar blinth y Senedd.

**Brian Fell** a greodd y gofeb ryfel a godwyd ym 1997 er cof am forwyr y llongau masnach na ddychwelsant ar ôl hwylio o Gaerdydd, Penarth a'r Barri rhwng 1939 a 1945. Louise Shenstone ac Adrian Butler a luniodd y mosaig sy'n cyd-fynd â'r gofeb.

**Danny Lane**, artist o Americanwr, a greodd gerflun 'Maes y Cynulliad' drwy gyfosod pum rhes gyfochrog o wydr trwchus.

**Alexander Beleschenko** a ddyluniodd y mosaig gwydr yn y Siambr. Mae'n ddwy fetr mewn diamedr ac yn cael ei oleuo o'r tu mewn.

**Martin Richman** a ddyluniodd y paneli acwstig yn yr ystafelloedd pwyllgora.

Sefydlwyd Sgwadiau Sgwennu'r Ifainc gan yr Academi, sef cymdeithas awduron Cymru, er mwyn annog plant i ysgrifennu a gweithio gydag awduron adnabyddus. Treuliodd bron i hanner cant o ddarpar awduron ddiwrnod yn y Senedd gyda'u tiwtoriaid, a dyma ddwy o'r cerddi a gyfansoddwyd ganddynt:

## Y Senedd

Yn y Bae mae'n Senedd ninnau
fel madarchen bren dan wydrau.
Seddi'r Siambr sy'n rhesymu,
botwm sgrin sy'n penderfynu.

Yn y gwydr gwelwn ddadlau,
yn y pren, fe glywn y pleidiau'n
cynrychioli ac yn craffu,
a chreu cyfraith er mwyn Cymru.

Y mae'r wlad a'r dre yn siffrwd
yn llawn cyffro dan ei nenfwd.
Ar y llawr cawn wylio gobaith
yn y llechi'n gwawrio eilwaith.

Uwch y Senedd y mae newid,
yn yr awyr y mae rhyddid
fel y môr o amgylch Cymru
weithiau'n sibrwd, weithiau'n gweiddi.

Yn y Bae mae llais y bobol,
ac mae cychod ein dyfodol;
yn yr haul mae hawliau'n bloeddio,
yn y dŵr mae fory'n sgleinio.

Sgwad Sgwennu Caerdydd: Gwenllian Davies, Broni Koziel, Lauren Moore, Elisa Morris, Ela Pari-Huws, Megan Rose, Greta Siôn (pawb yn 14) a Ceri Wyn Jones.

## The Senedd

The ceiling reminds me of veins
Flowing with blood, free and full of life.
It stands so proud
Making it feel so real, so alive.
The Chamber is the heart
Where women and men sit and debate
Helping Wales grow stronger as a country
So the world will sing its praise.
The floor black and simple
But means so much
It carries the heritage of our country
As we carry our bodies along it
The magnificent glass is like eyes
Opening the Bay and letting nature in
The magic, the dreams, the wonder
That leaves its mark in every heart.

Lauren Slye, 13
Rhondda Cynon Taf Writing Squad

© Yr awduron a'r Academi. Cyhoeddwyd gyntaf yn llyfryn *Sgwadiau Sgwennu'r Academi yn y Senedd* yn 2010.

# Hanfodion yr adeilad

Roedd manylion y briff yn cynnwys gofyniad bod yr adeilad yn rhoi mynediad i bawb, bod systemau ynni cynaliadwy ac adnewyddadwy i'w cael ym mhobman, y byddai'r adeilad yn para o leiaf 100 mlynedd, a bod deunyddiau o Gymru'n cael eu defnyddio lle'r oedd hynny'n bosibl.

Roedd elfennau eraill yn cynnwys siambr drafod 610 metr sgwâr (6,566 troedfedd sgwâr) ar gyfer rhwng trigain a phedwar ugain aelod, tair ystafell bwyllgora, swyddfeydd, ystafell friffio i'r cyfryngau, lolfa i'r aelodau, orielau cyhoeddus, ynghyd â neuadd a fyddai'n dderbynfa, yn gyntedd ac yn fan arddangos. Ar argymhelliad Rogers Stirk Harbour + Partners, ehangwyd maint y safle, sy'n wynebu Bae Caerdydd, er mwyn achub ar y cyfle i lenwi'r bwlch rhwng y datblygiadau cyfagos ac i fod yn fan cyhoeddus newydd o bwys i'r ddinas.

**Cleient:** Cynulliad Cenedlaethol Cymru

**Arwynebedd:** 5,308 metr sgwâr y tu mewn i'r adeilad

**Cost codi'r adeilad:** £67,000,000

**Y penseiri:** Rogers Stirk Harbour + Partners

**Y tîm:** David Ardill, Stephen Barret, Ed Burgess, Mike Davies, Lucy Evans, Mike Fairbrass, Rowena Fuller, Marco Goldschmied, Ivan Harbour, Mimi Hawley, Kazu Kofuku, Tom Lacy, James Leathem, Jose Llerena, John Lowe, Tim Mason, Stephen McKaeg, Annie Miller, Liz Oliver, Tamiko Onozawa, Mathis Osterhage, Andrew Partridge, Inma Pedragosa, Tosan Popo, Richard Rogers, Simon Smithson, Neil Wormsley, Daniel Wright, Yoshi Uchiyama, John Young

**Y peirianwyr saernïol:** Arup

**Yr ymgynghorwyr amgylcheddol:** BDSP Partnership

**Y contractwyr:** Taylor Woodrow Construction

**Rheolwyr y prosiect:** Schal

**Y tirlunwyr:** Gillespies

**Peirianwyr diogelwch tân:** Warrington Fire Research

**Peirianwyr y cyfarpar acwstig:** Sound Research Laboratories

**Yr ymgynghorwyr mynediad:** Vin Goodwin Access Consultant

**Yr ymgynghorwyr darlledu:** Department Purple

**Peirianwyr y systemau gwynt:** Arup

**Peirianwyr y llifftiau:** Arup

**Peirianwyr ffasâd yr adeilad:** Arup

**Peirianwyr gwrthsefyll bomiau:** TPS consult

# Cydnabyddiaeth

Y darluniau pensaernïol ar dudalennau 32/33, 35, 38, 40/41, 43 diolch i Rogers Stirk Harbour + Partners.

Y darlun o'r awyr ar dudalen 6, ffotograffiaeth gan Simon Regan/Photolibrarywales.

Y darlun o'r awyr o Fae Caerdydd ar dudalennau 10/11, © Hawlfraint y Goron (2010) Croeso Cymru.

Y model o'r Senedd ar dudalennau 144/145, ffotograffiaeth gan Eamon O'Mahony ©.

Y darlun o'r awyr o'r cwfl gwynt ar dudalen 39, y darlun o'r cyntedd ar dudalen 42, ffotograffiaeth gan Grant Smith ©.

Y darlun o'r to a'r siambr drafod yn cael eu hadeiladu ar dudalennau 44/45 a 46/47, ffotograffiaeth gan Katsuhisa Kida ©.

Ffotograffau o'r archif diolch i Bute Archive ym Mount Stuart ar dudalen 24; Gwasanaeth Llyfrgelloedd Cyngor Sir Caerdydd ar dudalen 19; Media Wales Limited ar dudalennau 26/27, 28; yr Amgueddfa Forwrol Genedlaethol, Greenwich, Llundain ar dudalen 29 ©; Amgueddfa Genedlaethol Cymru ar dudalennau 20/21, 22, 23, 25, 27, 30, 31, 51.

Ymchwil o'r archif: Ami Zienkiewicz

Cyfieithiad gan Rhys Iorwerth

Mae'r awdur yn diolch i Geraint Talfan Davies, Malcolm Parry, Iwan Williams a Penny Symon.

Senedd
Cyhoeddwyd ym Mhrydain yn 2023 gan Graffeg Cyf.

Hawlfraint y testun © Trevor Fishlock 2010.
Ffotograffiaeth © Andrew Molyneux 2010.
Dylunio a chynhyrchu © Graffeg 2023.

Senedd cyhoeddwyd gan Graffeg 2010
© Hawlfraint Graffeg 2010:
Clawr meddal Cymraeg ISBN 9781905582440
Clawr caled Cymraeg ISBN 9781905582464
Clawr meddal Saesneg ISBN 9781905582433
Clawr caled Saesneg ISBN 9781905582457

Graffeg Cyf., 24 Canolfan Fusnes Parc y Strade, Ffordd Mwrwg, Llangennech, Llanelli, SA14 8YP, Cymru, DU. Ffôn 01554 824000. www.graffeg.com.

Mae Trevor Fishlock drwy hyn yn cael ei gydnabod fel awdur y gwaith hwn, yn unol ag adran 77 o Ddeddf Hawlfraint, Dyluniadau a Phatentau 1988.

Mae cofnod catalog CIP ar gyfer y llyfr hwn ar gael o'r Llyfrgell Brydeinig.

TT211122

ISBN 9781802584165

1 2 3 4 5 6 7 8 9

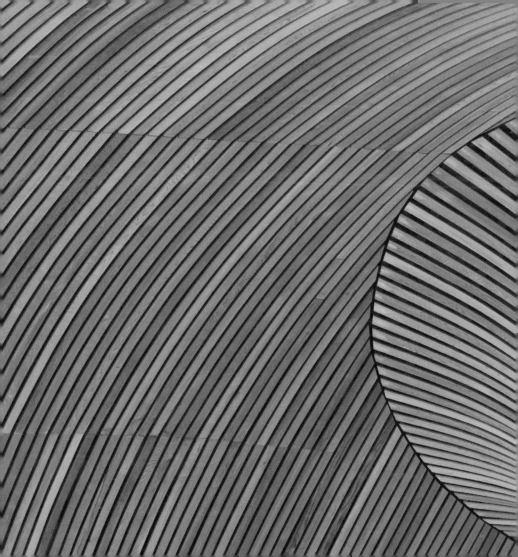